D0346354

JÉRÔME BOURGINE

La classe de mer de Monsieur Ganèche

Illustrations de Maurèen Poignonec

ÉDITIONS SARBACANE

La citation page 150 est issue de la chanson *Contre vents et marées*, interprétée par Françoise Hardy.

À tous les enfants à qui on n'a pas raconté d'histoires

quand ils étaient petits.

Monsieur Ganèche
Céline
Zlatan
10
Tho

Les personnages

– Chapitre 1 –
Le chaos

– Nom d'un rat sans pattes !

Le petit port de Larmoric disparaît à l'horizon tandis que Monsieur Ganèche n'en finit pas de tempêter intérieurement. « *Ils ne peuvent quand même pas m'avoir refilé tous les cas sociaux du collège ! Tous les six en échec scolaire ! Comment ils pourraient rivaliser avec les autres ?… De quel hasard parle-t-on ?!* »

Et au moment précis où les très graaandes oreilles de Monsieur Ganèche commencent à frémir, l'un des six élèves qu'on lui a confiés pour ces deux semaines de classe de mer s'agite : le garçon, un petit costaud très excité, se hisse sur un paquet de cordages, bondit et se dresse dangereusement au-dessus de l'eau, écartant les bras façon Titanic !

– Les enfants ! S'il vous plaît, ne vous penchez pas hors du bateau ! lance l'instituteur.

« *De vraies piles électriques !* ». Monsieur Ganèche s'interroge : « *C'est lequel, le grimpeur fou ?...* ». De l'intérieur de sa veste, il sort une série de fiches qu'il fait défiler sous ses yeux... Zlatan, voilà ! C'est donc lui, le « terrible » Zlatan : une tête de moins que ses camarades, mais trois fois plus de bêtises à la minute. Il relit ses notes :

Zlatan. 12 ans, redoublant, recordman des punitions du collège ! Sa réplique favorite ? « L'école, ça sert à rien ! ».

« *Mouais. Je parie qu'il répète juste ce qu'il entend à la maison* », se dit Monsieur Ganèche.

Il continue son inspection. Voyons à présent la petite demoiselle qui semble si occupée à inspecter les casiers de pêche...

Céline. 11 ans, avant-dernière, absences à répétition, impertinences, mère célibataire et milieu social défavorisé – comme on dit.

Bon… Le jeune homme sur son fauteuil roulant ?…

Tho. 11 ans. Premier en informatique et... dernier partout ailleurs ! Famille aisée.

Hum. À creuser. Suivante :

Maïtiti, 12 ans. Tiens, pas d'absence… ni de punitions ! Élève appliquée mais médiocre et peu sûre d'elle ; divorce difficile.

OK. Reste qui ?… Le grand-enrobé-mou, là…

Lucas, 13 ans. Deux ans de retard, dis donc, la taille s'explique… Redouble ses classes avec la même obstination qu'il met à... ne RIEN faire ! »... (*rien* souligné en rouge.) Rien ne l'intéresse. Cas désespéré ?...

N'importe quoi !! s'indigne Monsieur Ganèche en agrippant la lisse du bateau pour ne pas perde l'équilibre. Un enfant que rien n'intéresse, cela n'existe pas !

Et, naturellement, tous ces élèves ont un dossier chez la psychologue scolaire. Même la sixième, Fatima :

Fatima : rêveuse patentée, a définitivement élu domicile dans la Lune.

Z'ont de l'humour, au moins… Mais au fait, elle est passée où, Fatima ?

Ah ! Derrière la petite cabine vitrée dans laquelle se tient le pêcheur qui les conduit jusqu'au camp de « vacances », Monsieur Ganèche aperçoit la dernière des six élèves, assise sur le pont, le regard perdu dans la contemplation d'une étoile de mer desséchée.

– Tout va bien, Fatima ?… Fatima ?!

– Oui, M'sieur, pardon. J'étais en pleine conversation.

– Ah ! Désolé. Avec cette… étoile de mer ?

– Ex-étoile de mer ! Elle a fini son stage, là. Elle est Étoile de Ciel, maintenant. Fini le panier de crabe et les mâles qui jouent les grosses pinces. C'est une reine de la nuit, à présent. Tout le monde la respecte…

– Ah ! D'accord.

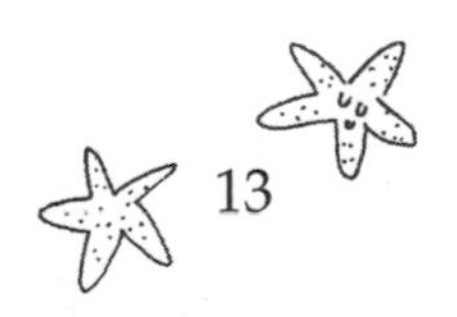

L'instituteur en est encore à se demander ce que Fatima a voulu dire qu'éclatent de grands cris d'effroi à l'avant du bateau. Il pivote sur ses talons.

« Et le marin qu'ils nous ont choisi… il empeste l'alcool ! Non, Messieurs, je n'invente rien. Ce monsieur Braouézec a sans doute certaines raisons de boire, mais pas au volant ! Enfin : pas à la barre d'un navire, bon sang ! »

(Précisons ici que Monsieur Ganèche a l'habitude, dans sa tête, de défendre les opprimés et de pourfendre les « vilains » face à un tribunal imaginaire).

« Il vous faut des preuves ? Regardez-moi ce sillage : le bateau fait des zigzags !! Ah, décidément, tout a été prévu pour que ces gamins se plantent. S'ils en avaient réparti un dans chaque équipe, au moins. Mais non : regroupons la racaille, renforçons les ghettos ! Ah ! Les encéphales de chenille ! Les… »

– **ZLATAN, LÂCHE ÇA TOUT DE SUITE !**

Le garçon, ayant trouvé sur le pont du bateau un crabe à moitié écrabouillé, s'en sert pour effrayer ses camarades en le faisant pendouiller sous leur nez. D'où : panique à bâbord et fuite affolée des enfants…

… sauf de Tho, dont le fauteuil roulant s'est empêtré dans des cordages ; le voilà réduit à agiter les bras pendant que Zlatan, sourire mauvais aux lèvres, approche la bestiole nauséabonde de son visage.

– Monsieur ! Arrêtez-le ! Ça pue trop, ce truc !

– **ZLATAN !!** Écoute-moi bien : tu m'as l'air d'être un sacré bipède, mais ça ne prend pas avec moi. Alors, je te le demande une première ET dernière fois : tu lâches ça, s'il te plaît. **MAINTENANT !**

Ébranlé par la grosse voix de l'instituteur (remplaçant), Zlatan se fend d'un large sourire, puis il écarte le pouce et l'index – et le crabouillé chute… direct sur les jambes de Tho ! Lequel pousse un hurlement et, d'un revers de main, l'éjecte. Sur quoi, vif comme l'éclair, Zlatan se laisse aller en arrière et effectue un retourné acrobatique parfait, envoyant carapace, pattes et pinces valser par-dessus bord !

– Pas mal…, ne peut s'empêcher de commenter Monsieur Ganèche. En revanche, lâcher le crabe sur ton camarade, c'est beaucoup moins glorieux.

– C'est pas mon camarade. J'ai pas de copains handicapés, moi !

Cette fois, impossible pour Monsieur Ganèche d'éviter un mouvement de recul. Ses oreilles frémissent, son nez rougit…

– Écoute-moi, Zlatan : Tho n'est peut-être pas – *encore* – ton camarade, mais je te parie, moi, que cela arrivera bientôt et…

– Jamais !! J'fréquente des gens normaux, moi. Pas des sans jambes ou des oreilles trop grandes, ou des nez énoooormes. La honte !

Et aussitôt, Zlatan s'empresse de chercher dans le regard des autres une approbation…

… qu'il ne trouve pas. Car les cinq autres, à la fois terrifiés et excités par l'impertinence de Zlatan, fixent tous Monsieur Ganèche en ouvrant de grands yeux. L'instituteur va-t-il le punir ? Le frapper peut-être, s'il est trop vexé ?… ou bien s'écraser ?…

Mais c'est finalement Tho qui brise le silence :

– Laissez tomber, M'sieur. C'est rien. J'ai l'habitude.

– Merci, Tho, mais il y a certaines choses dans la vie auxquelles, *justement,* il n'est pas question de s'habituer.

Se retournant vers Zlatan, il poursuit, tout sourires :

– Nos différences physiques… bien sûr, elles sautent aux yeux. Mais je te le demande : est-ce vraiment le plus important ?… Toi, par exemple qui ne supportes pas le handicap ni les nez comme ci et les oreilles comme ça : des copains plus *petits* que toi, tu en as ?… Ça ne doit pas être si facile à trouver…

Tous les enfants retiennent leur souffle. Le traiter de « petit », c'est suicidaire !! Zlatan serre les poings. Un instant, ils ont l'impression que leur condisciple va se ruer sur l'instituteur. Il en est capable…

Non ; il aboie seulement :

– ***J'suis pas p'tit !!*** J'ai pas *encore* commencé de grandir, c'est tout ! Mon père, il est très grand. Plus grand qu'vous. Même que quand j'lui dirai que vous m'avez traité de bipède, il va vous massacrer !

– Tu vas dire à ton père que je t'ai traité de bipède, d'accord. Et, naturellement, tu sais ce qu'est un bipède, Zlatan ?... Dans le doute, je t'explique. « Bi-pède », ça marche comme « bi-cyclette » : qui avance sur deux cycles, deux roues. Donc, bipède : qui marche sur deux pieds. Tous les êtres humains sont des bipèdes, Zlatan.

– Pas Tho ! Tho, il marche pas sur deux jambes. C'est pas un bipède, lui ; c'est...

Zlatan s'aperçoit qu'il est allé trop loin. Si le visage de Monsieur Ganèche n'a pas bougé, ses laaarges oreilles se sont mises à... onduler. Et ses yeux ! Deux billes noires chargées d'éclairs qui vibrent, brûlent et disent : « *Vas-y, parle. Mais fais bien attention à ce que tu vas dire* ».

Au centre de tous les regards, Zlatan ne peut se défiler. Il inspire, et après quelques secondes d'hésitation, il déclare :

– Tho, c'est un... ***un biroulette*** !

Stupeur de l'assistance ; sourire du garçon.

– Bah oui : comme il se déplace sur deux roulettes, c'est un biroulette, ha ha !

Ne sachant trop comment réagir, les cinq autres fixent Monsieur Ganèche. Mais Monsieur Ganèche ne dit rien ; il se contente de regarder Tho. En fait, tous deux échangent un regard qui dure plusieurs longues secondes, un regard profond ; puis, à l'étonnement général, Tho s'adresse d'une voix calme à Zlatan :

– Tu as oublié la roulette centrale, là, devant ; ça en fait trois.

– Un triroullette ! T'es un triroulette !!

Et Zlatan, petit gars plein d'énergie, empoigne les bras du fauteuil et se met à le pousser sur le pont du bateau.

– Tout l'monde derrière ! hurle-t-il. On va inventer la danse des bipèdes. Et du triroulette ! Répétez après moi : *« C'est la danse des bipèdes ! Et aussi du triroulette ! ça rime pas, mais on s'en fout, ouh-ouh ! ouh-ouh ! »*

Tout en jetant un coup d'œil en coin à Monsieur Ganèche, Zlatan entraîne la petite troupe à sa suite ; la file indienne doit bientôt tourner… autour de l'instituteur.

– Mettez vos mains sur les épaules devant ! se retourne Zlatan. Attention, on reprend…

Et les autres, amusés, reprennent la danse des bipèdes.

Expirant pour laisser retomber l'indignation qui frémit encore en lui, Monsieur Ganèche fixe l'horizon, épuisé à la seule idée des 15 jours qui l'attendent. « *Voilà donc Zlatan… Effronté, risque-tout et manipulateur ; le parfait chef de bande ! Au moins, avec son caractère, lui a les moyens de s'en sortir dans la vie… s'il ne tourne pas mal avant. Mais Tho, quelle surprise ! Qu'il ait été capable, devant tous, de ne pas être blessé – ou de l'être sans le montrer ! à son âge… Nom d'un rat sans pattes, il y faut beaucoup de… d'intelligence, tout simplement* ».

Abandonnant ses pensées, l'instituteur prête alors *réellement* attention à la ronde qui l'encercle :

★ Zlatan et ses coups d'œil en coin

★ Tho qui laisse faire mais n'en pense pas moins

★ la jolie Maïtiti si sensible, tout heureuse qu'on se soit réconciliés

★ Lucas, vrai ou faux père tranquille, qui suit d'un pas lent et profite de ce moment agréable

★ Fatima la rêveuse, sans doute en train de s'inventer quelque histoire de pirates célébrant leur victoire

★ Et enfin, Céline qui se déhanche en cadence, les yeux fermés *mais qui*, quand elle les ouvre, crochète le regard de l'instituteur pour le questionner en silence, d'un air de dure-à-cuire : « *Alors le nouveau, tu penses toujours que tu vas nous sauver ?!... Laisse tomber. Sérieux : tu dois pas être terrible comme instit' pour être encore remplaçant. À ton âge !!!* »

Monsieur Ganèche sourit. D'ailleurs, au fur et à mesure que son regard remonte la chaîne de ces corps qui sautillent, son sourire s'élargit. Ce que va être cette classe de mer, il n'en sait rien. Un cauchemar ? Une révélation ?

Peu importe ; ce dont il est certain, c'est qu'il va se passer *quelque chose*. Et quelque chose de pas ordinaire, s'il en croit ses yeux. Car en définitive, que voit-il, là ?... Six cas sociaux ? Six bons à rien ? Pas du tout : six enfants pleins de vie qui, tous, ont le sourire.

Puis Monsieur Ganèche pose ses poings sur ses hanches et les regarde accomplir leurs « révolutions », comme on dit des planètes tournant autour du soleil. *« Six petites planètes,* songe-t-il, *toutes différentes et toutes...* ***Noooon ?... C'est impossible !!!*** *Une telle chose serait ?... Statistiquement, il n'existe pas une chance sur dix mille pour que... »*

Frénétiquement, Monsieur Ganèche ressort ses fiches... Zlatan est né le 26 mars 2002. Le portable, vite ! En 2002, le 26 mars était un... mardi. Il prend note. Tho, à présent, né le 18 septembre 2002, un...

mercredi. Maïtiti est née un… vendredi ! Céline, un samedi !!! Plus que deux à vérifier. Lucas ? Un… **jeudi, oui : incroyable !**

Ses doigts tremblent. Plus qu'une date… Ce serait trop beau, unique, magique !

Il fixe le dernier maillon de la chenille enfantine : *« Amie Fatima, rêveuse endiablée, serais-tu née un lundi, par un miraculeux hasard ?… »*

Ouuiiii ; incroyable. Waaaahh !

Et à ce moment-là, sous le regard incrédule des enfants, l'instituteur éclate d'un rire puissant qui secoue sa grande carcasse ; un rire si phénoménal que les mouettes criardes au-dessus d'eux en perdent la voix, jettent des regards scandalisés, puis finissent par s'enfuir à tire d'aile, effrayées par ce cataclysme naturel monté sur pattes !

- Chapitre 2 -
Abandonnés

En voyant Monsieur Braouézec s'éloigner d'un pas titubant vers le centre de la petite île où ils viennent d'atterrir en catastrophe, Monsieur Ganèche ne peut s'empêcher d'avoir un mauvais pressentiment…

40 minutes plus tôt, quand le bruit du moteur s'est arrêté d'un seul coup, il s'est discrètement approché de la cabine du marin-pêcheur…

– Des ratés… c'est rien !

Quand, 30 minutes plus tôt, Monsieur Braouézec a raccroché le micro de sa radio après avoir répété 20 fois « Allô ?! Allô ?! », Monsieur Ganèche, prétextant un exercice, a demandé aux enfants d'attacher leurs gilets de sauvetage. Aussitôt, Zlatan a hurlé :

– C'est bidon, ces alertes au feu ! Pourquoi on se fait avec ça ?

– Parce que notre sécurité en dépend, a répliqué l'instituteur. Que faire sans moteur ni radio, hhhmmm ?

– Reste les portables, a riposté Céline.

– Faisons comme s'ils ne fonctionnaient pas non plus, d'accord ? Ah ! Zlatan, une chose : dans 15 jours, il y aura une récompense pour celui d'entre vous qui aura le moins eu recours à un vocabulaire grossier, OK ?

– Ooooh, alors : j'vais rater un Kinder Surprise ! a couiné Zlatan en faisant, cette fois, rire tous ses condisciples.

– Un premier mauvais point pour toi, lui a simplement répondu Monsieur Ganèche.

Quand, 15 minutes plus tôt, Monsieur Braouézec a réclamé de l'aide pour accoster « comme on pourra » le long des rochers de l'île la plus proche, les enfants se sont montrés plus attentifs, et sérieux. Surtout Zlatan et Lucas, qui ont dû sauter à terre pour saisir l'amarre.

– Bon ! OK, c'est accroché. On repart, maintenant que l'exercice est terminé ? a ensuite lancé Zlatan. Les autres vont prendre trop d'avance !

– Ce n'était pas un exercice..., a répondu Monsieur Ganèche, mal à l'aise. On est *vraiment* en panne.

– Je l'savais ! a crié Céline. Les mobiles ne passaient pas, tout à l'heure. Et ils passent pas maintenant non plus !

– Vous nous avez menti, alors ? a lâché Tho d'une voix calme mais chargée de reproches.

– Je ne voulais pas vous affoler, a murmuré Monsieur Ganèche.

– Genre ! s'est contenté de lâcher Lucas de sa grosse voix posée.

Quand, 2 minutes plus tôt, Monsieur Ganèche est allé prendre à part Braouézec pour lui demander ce qu'il comptait faire, le marin-pêcheur a vaguement ressorti la tête de la trappe-moteur, sa clé à molette en main, et a fini par lâcher, l'air renfrogné :

– Va falloir que j'y aille, tiens ! Pas l'choix…

– Où ça ? s'est enquis Monsieur Ganèche.

– Trouver *les autres*, a répondu le marin en faisant un mouvement de tête vers l'île.

Devant l'incompréhension de l'instituteur, le marin a fait un effort :

– C'est l'îlot Craouch, ici – mais tout le monde l'appelle *l'île interdite*. Parce qu'*ils* ne veulent pas qu'on y aborde. Le dernier qui l'a fait, ils l'ont conduit direct aux gendarmes ! Surtout, que les gosses touchent à rien pendant mon absence, hein ?!

Sans un mot de plus, il s'est alors mis en route vers le sommet de l'île. Les *gosses*, comme il disait, l'avaient regardé passer d'un air indifférent ; tous étaient absorbés par l'exploration des flaques laissées par la marée basse. Elles regorgeaient de crevettes, petits poissons et crabes... vivants ! Spectacle qui enchantait les jeunes citadins, dont la moitié n'avait encore jamais vu la mer.

Voilà pour ce qui s'est passé *avant*. Et c'est donc à ce moment précis que l'instituteur remplaçant entend son estomac faire « crouiiiiic » et ressent ce très désagréable pressentiment : NI LUI NI LES ENFANTS NE REVERRONT LE MARIN-PÊCHEUR !...

« *Allons, pas de pensée négative,* se dit-il ; *occupons-nous plutôt des enfants* ».

– Tout le monde se souvient de la règle du jeu ? Les crevettes valent 1 point, les poissons 2, les crabes 3 et les étoiles de mer, 5.

– 5, c'est abusé !!! glapit Zlatan. Elles bougent pas, les étoiles, trop facile ; pourquoi 5 ?

– Quelqu'un connaît la réponse ? se contente de relancer Monsieur Ganèche.

– Parce qu'elles sont rares ! crie Tho depuis le bateau – son fauteuil n'a pas fait le voyage, vu que Monsieur Braouézec doit revenir « d'un moment à l'autre ».

– Exact, répond l'instituteur, ravi.

– Genre, toi, tu vaudrais plus que nous ?!! s'insurge Zlatan.

– Zlatan !

– Ben quoi ? Des handicapés, y en a moins que des gens normaux, ! faudrait savoir…

– Deuxième mauvais point, Zlatan.

– M'en fous. Hé ! ça, on peut, quand même ?!…

– « Je m'en fiche » ou « je m'en moque »… mais pour aujourd'hui, passons. Maïtiti ? Sûre de ne pas participer ?

– J'ai trop peur. Je vais les lâcher et ils vont se blesser.

– D'accord. Ah ! attention : pour toute prise blessée, c'est – 3 points ! Tout animal tué : – 10. On relâchera tout le monde à la fin !

– Jamais d'la v…

– 3,2,1, c'est parti !!! accélère Monsieur Ganèche.

Une demi-heure, trois quarts d'heure s'écoulent. Le jeu les tient encore, mais Monsieur Ganèche ne sait plus que penser… même si, dans ce genre de situation, la meilleure solution consiste *presque* toujours à attendre les secours **sur place**. Oui, mais **si jamais** Monsieur Braouézec avait fait une chute dans les rochers ? **Si jamais** « les autres » l'avaient embarqué de force à la gendarmerie ? **Si si si**… Impossible en tout cas de laisser les enfants seuls ici. En envoyer deux à sa recherche ? Humpf ! Pour qu'ils s'égarent ?!… Mais voilà que Tho l'interpelle.

– M'sieur ! Galère, désolé. Je peux encore me retenir, mais pas mille ans. C'est la grosse commission, en plus.

– Aaahh ! Peut-être qu'en utilisant un seau, coincés entre deux casiers... Je fais l'inventaire, ne bouge pas.

– Ça ne risque pas.

– Désolé...

– Je blague ! J'étais pas obligé de la faire, celle-là. C'est devenu un réflexe.

Pas de chance, les casiers sont trop gros et parsemés de fils de fer rouillés. Rapidement, Monsieur Ganèche est obligé de constater qu'il ne trouve aucun récipient susceptible de faire l'affaire. Et ce fichu Braouézec qui ne revient pas... Plus d'une heure qu'il est parti.

– Plus qu'une minute ! Quand je dis « stop », vous rapportez les seaux et on compte les prises. Puis on libère les prisonniers et on s'en va.

– Le jeu est fini ? demande Maïtiti, un grand sourire aux lèvres.

– Que chacun vienne ensuite récupérer son sac à dos sur le bateau.

C'est ainsi qu'après la fin du jeu (victoire du duo Céline-Lucas), la petite troupe se met en route. Ils avancent : Monsieur Ganèche portant Tho sur ses épaules ; Céline, Zlatan et Lucas poussant le fauteuil vide, et le couple Maïtiti-Fatima ouvrant la marche au gré des consignes données par Tho qui, en vigie, guette les passages suffisamment plats pour le fauteuil.

– Encore heureux que j'aie pris mon fauteuil « sport » ! commente Tho qui rayonne depuis qu'il est perché là-haut.

– Pourquoi ? demande Céline en haletant.

– L'autre, il a quatre roues et pèse *beaucoup* plus lourd.

– M'sieuuur ! réclame Zlatan. On pourrait pas se relayer ?! C'est toujours les mêmes qui bossent ! « Maïtititi » et la fatma, elles se sont collées et elles font que bavarder. J'peux pas passer éclaireur ?...

– Hé, le nain ! Je suis pas ta fatma, OK ?! se retourne Fatima, du coup nettement moins « dans la lune ». Et si on s'est collées pour marcher, c'est que, comme ça, on fait la même largeur que le fauteuil, banane !

– Bien joué les filles !! s'exclame Tho que la petite promenade enchante.

– Ta ☠ ⚡ ☠ , le traître !

– Zlatan ! vrombit Monsieur Ganèche.

– 3 points, je sais – m'en fous !

– 4, si tu continues.

– De quelle trahison tu parles, l'ami ? gazouille Tho.

– Des triroulettes qui se prennent pour des bipèdes montés sur échasses.

– Tu dis ça parce que tu as perdu 56 à 34, c'est tout.

– J'étais tout seul, guignol : Fatima a rien attrapé. Quand elle prenait une bestiole, elle la matait pendant une heure et elle la relâchait !

– T'exagères. J'en ai relâché deux, c'est tout. Elles étaient trop belles…

– Trop belles ? Des crevettes ?!

Première surprise : le sommet de la colline n'est pas le sommet de l'île. Eux qui pensaient découvrir un vaste panorama et une chaumière fumant dans une prairie !…

Au lieu de ça, un creux s'ouvre devant eux : rochers, genêts, hautes herbes et, au fond : une nouvelle pente à gravir !

– Ça va là-haut, Tho, pas trop mal ? interroge Monsieur Ganèche.

– Impec, Monsieur, vous en faites pas.

Les voilà repartis. Dans la descente, Céline est même obligée de refreiner leur ardeur. Puis c'est la remontée…

– On n'y arrivera jamais, maugrée Zlatan à mi-pente.

– Bien sûr que si ; pousse, plutôt ! répond Céline. On y sera dans sept ou huit minutes.

– Très drôle. Hé, les sœurs siamoises !!… on change ?

– **Jaammaaiis !** chantent Fatima et Maïtiti dans un synchronisme parfait.

Seconde surprise : quand ils parviennent, *enfin*, au sommet, ils découvrent que de l'autre côté, c'est le même topo !! Encore une longue pente, encore une pointe avec des rochers, encore des buissons et… la mer, tout au bout.

Pas de maison ! Pas de Braouézec ! Pas de bateau ni *d'autres* gens. Une île **dé-ser-te** !!! Il y a bien un tas de hauts rochers sur la gauche, face à la côte, mais c'est tout. Monsieur Ganèche sent une nouvelle fois son estomac faire « crouiiich ».

– Là, M'sieur ! Làààà, derrière !!!

Monsieur Ganèche se retourne à l'appel de Tho et n'en croit pas ses yeux : de l'autre côté de l'île, **le bateau de Braouézec est en train de partir** !! Et il y a une autre embarcation qui l'accompagne. Impossible ! Ils ne peuvent quand même pas les abandonner ?!!

– **OHÉ !!!** On est là ! Revenez ! hurle Tho en agitant les bras.

Tous les enfants se mettent à crier, trépignant, s'époumonant... Jusqu'à ce que Monsieur Ganèche les arrête.

– Stop ! les amis, c'est inutile : le vent est contre nous.

Comme pour lui donner raison, une bourrasque balaie la crête, les obligeant à s'accrocher les uns aux autres.

Et d'un seul coup, sans prévenir, il se met à pleuvoir. Des trombes d'eau.

– Maiiiis..., glapit Maïtiti qu'on sent au bord des larmes... ils ne peuvent quand même pas nous abandonner. Sur une île déserte !

– Bien sûr que non, répond Monsieur Ganèche. Ils vont revenir ; ne vous inquiétez pas.

– Ça n'a rien de sûr, M'sieur, lui souffle une voix « venue du ciel ». On ne sait pas pourquoi ils s'en vont, mais on ne sait pas non plus s'ils reviendront...

– Tu as raison, reconnaît à voix basse Monsieur Ganèche en s'éloignant de quelques pas. Mais tout le monde n'a pas ta force de caractère.

Puis, du regard, il indique la pauvre Maïtiti, qui continue désespérément d'agiter les bras vers le bateau.

– Mais dire la vérité, c'est le plus important, non ? réplique Tho.

– C'est *très* important, en effet. Cependant, on n'est pas obligé de *toujours* ***tout*** dire. Il faut mesurer l'impact de ses paroles, pour ne pas blesser inutilement. Ou démoraliser ! De plus, il est évident qu'ils reviendront… tôt ou tard. En conséquence, il n'y a pas de raison de s'inquiéter.

– Sauf si on attrape tous la crève à force de rester sur place ! intervient Céline en se plantant devant eux.

De son sac à dos, la blondinette a extirpé sa cape de pluie et l'a enfilée, faisant peser sur l'instituteur un regard signifiant quelque chose comme : « *Ce s'rait pas votre boulot, ça, par hasard ?* »

– Tu as raison. Enfilez tous vos K-Way et tâchons de nous abriter.

– Elle est où, la maison des gens ? demande Fatima.

– Monsieur Braouézec n'a pas parlé de maison, Fatima. Il a dit que l'île était une propriété privée et qu'on l'appelle « l'île interdite »…

– L'ÎLE INTERDITE ?!! reprennent en chœur la moitié des enfants.

– ★⚡☠⚡✿⚡ ! lâche Lucas – dont la main a cependant volé vers sa bouche le plus vite possible.

– Mais alors, tout s'explique ! s'exclame Tho du haut de ses 2m50.

Tous lèvent les yeux vers le garçon perché.

– Vous pouvez vous mettre à genoux, Monsieur ? demande Céline.

– Me mettre à genoux !?

– Que j'atteigne le sac de Tho, et... son imper !

– Aaaah. Qu'est-ce qui s'explique, Tho ? demande l'instituteur en s'exécutant.

– Tout. Ou presque. Y a qu'un détail qui cloche. Pour le reste, c'est logique : Braouézec est allé demander du secours et les autres l'ont ramené en bateau, mais comme on n'était pas là, ils ne l'ont pas cru et l'ont embarqué chez les flics. CQFD !

– Ce ne sont pas des flics... enfin, la police, mais des gendarmes.

– Et si on continuait à discuter au sec ? les interrompt Céline. Votre imperméable, Monsieur, il est où ?

– Je l'ai laissé dans... ma valise, dans le car. Bref. Au sec, dis-tu ?... Le problème, c'est que je ne vois nulle part où nous abriter.

– Derrière les gros rochers, droit devant !! suggère la vigie. Puisque les proprios ont un bateau, il doit *au moins* y avoir un débarcadère.

– D'accord : cap sur les rochers. Mais sans courir !

En dépit de ces recommandations, Zlatan et Lucas se mettent à pousser le fauteuil en imitant le bruit d'un moteur et dévalent la pente à toute vitesse.

– Je constate que le « détail qui cloche » n'intéresse personne, s'étonne Tho tandis que Monsieur Ganèche se concentre sur chacun de ses pas. C'est relou, des fois, d'être qu'avec des débiles…

– Je te remercie, Tho.

– Je disais pas ça pour vous, M'sieur. Vous, vous êtes préoccupé, c'est pas pareil.

Céline s'est immobilisée.

– *Pourquoi le bateau de Braouézec n'était plus en panne ?* C'est bien ça, ton détail, Tho ? demande-t-elle sans tourner la tête. Tu sais, c'est pas parce qu'on la ramène pas tout le temps qu'on est forcément .

– Bravo pour le détail, Céline, mais je suis obligé de te mettre un point de pénalité.

– Mais, c'est français, « », Monsieur, c'est dans le dictionnaire !

– Tous les gros mots sont dans le dictionnaire ; cela ne les empêche pas d'être injurieux.

– Alors comment on sait quels mots on peut utiliser et lesquels on peut pas, s'ils sont tous dans le dico ? Hein ?

– Bonne question, nous en ferons l'exercice grammatical de ce soir.

– Ha ha ! J'suis tranquille : jamais vous vous souviendrez. Hé ! la grosse tête, là-haut, t'as trouvé pourquoi il s'est mis à remarcher comme par magie, son bateau ?!

– Peut-être que les autres avaient apporté les bons outils ?

– Non, c'est pas ça.

– Quoi, alors ? T'as une idée, toi ?

– Oui, l'intello. J'ai une idée. Je crois que c'est parce que son moteur est très vieux ; alors, il chauffe si on l'utilise trop. La voiture de ma mère, c'est pareil : si tu cales, faut attendre que ça refroidisse pour redémarrer.

– Hmm. C'est une hypothèse.

– C'est toi, l'hypothèse ! Tu crois que t'es l'seul à avoir un cerveau ou quoi ?!

Et elle les plante là. Alors, Tho glisse discrètement à l'oreille de son porteur personnel :

– Euh, M'sieur… Je pourrai plus tenir très longtemps.

Quand ils parviennent près du rivage, Monsieur Ganèche réalise que le tas de rochers en question est bien plus imposant qu'il n'y paraissait de loin. En partie immergé, il occupe la place d'un pâté de maisons.

Ayant déposé Tho sur son fauteuil, Monsieur Ganèche fait rouler ses épaules ankylosées.

– Regardez, au sommet : une antenne ! lance Zlatan.

– Bien vu. Peut-être que les téléphones marchent, de là-haut.

– Voulez que j'y aille ?!

– Non ! pas d'escalade ; pas d'accident.

– Je tomberai pas.

– *Je* vais y aller. En revanche, si vous pouviez explorer les rochers, **en *restant en bas !...*** Cherchez un débarcadère ou une construction.

À peine Monsieur Ganèche a-t-il fini sa phrase que Lucas se laisse tomber sur le sable mouillé.

– Trop la flemme... On n'a pas arrêté de crapahuter. Moi, je me pose.

– Je n'oblige personne. Zlatan : tu sais nager ?

– D'ac, j'explore les rochers. Mais vous m'retirez mes points d'pénalité !

– Hors de question ; pas de chantage.

– Quel chantage ?! C'est un travail... et tout travail mérite salaire.

– Non, c'est un service. Ou plutôt : une mission !

– On aurait dû téléphoner quand on était en haut de la crête : c'était exactement aussi haut que l'antenne, commente Céline mine de rien.

Monsieur Ganèche la fixe d'un air de chien battu ; avec la pluie, ses cheveux sont plaqués sur son crâne et font ressortir son nez et ses oreilles disproportionnées. Céline pouffe, se retient…

… puis éclate de rire.

– Tu as raison ! Je n'y ai pensé qu'en voyant l'antenne…, s'excuse le prof. Trop tard, quoi.

– Pas grave, réplique Céline, trop heureuse qu'il n'ait pas compris pourquoi elle riait. Moi, j'ai essayé et, de toute façon ça passait pas !

– Belle initiative, en tout cas ! Bon, ne restez pas là ; la pluie tombe en biais, alors mettez-vous à l'abri d'un gros rocher.

Avec précaution, Monsieur Ganèche se met à grimper les rochers en direction de l'antenne. Quand il parvient enfin au niveau de la longue tige métallique, c'est pour constater que le câble qui la reliait à l'émetteur radio a été sectionné. Impossible de savoir où se trouvait cet émetteur. Ni la maison qui l'abritait ! Monsieur Ganèche compose alors le numéro du centre de vacances censé les accueillir – on commence sûrement à s'y inquiéter… Pas de réseau. Ne lui reste plus qu'à faire le chemin à l'envers.

* * *

Il les entend bien avant de les voir. Des cris, des rires et puis des… pleurs ??! Il accélère. Une dernière pointe rocheuse lui dissimule encore la source de cette cacophonie. Quand il la dépasse enfin et les découvre, c'est…

… l'horreur.

Les pleurs ? C'est Tho, dont le fauteuil, enfoncé dans le sable mouillé commence d'être léché par la mer. Maïtiti est en larmes, elle aussi : elle a beau tirer de toutes ses forces pour sortir son camarade de là, rien n'y fait. Les cris et les rires ? Céline, Fatima et Lucas se balancent des paquets d'algues gluants au visage, intégralement trempés, verts d'algues, innommables.

– **STOP ! ARRÊTEZ !** hurle Monsieur Ganèche en les comptant intérieurement : *un… deux… trois… quatre… cinq !*

En plus, il en manque un ! *Le « pire »*, ne peut-il s'empêcher de penser. Enfin, c'est ce qu'il croyait jusque-là ; Fatima se révèle aussi indisciplinée que rêveuse ! Et Céline qui avait l'air si raisonnable, à se soucier que personne ne se mouille...

Monsieur Ganèche commence par prêter main-forte à Maïtiti ; et dès que Tho a été ramené au sec, il se tourne vers le clan des bagarreurs, leur intimant de nouveau l'ordre d'arrêter. Pfff, tu parles... Ils ne prennent même pas la peine de le regarder !! Les deux filles ont coincé Lucas contre un gros rocher et s'apprêtent à lui balancer de beaux paquets d'algues brunes, les plus visqueuses, avec des cloques. À bout de munitions, Lucas ramasse une poignée de sable et lève le bras, menaçant.

– On a dit, pas de sable ! rappelle Céline.

Mais Lucas balance sa poignée dans leur direction.

– Ça, tu vas le payer,  . Fafa ; on attaque ensemble. Il va les bouffer, celles-là !

Quand elle se tourne vers Monsieur Ganèche, Maïtiti n'en croit pas ses yeux : son visage est devenu rouge foncé ; son nez a l'air de *clignoter*, tandis que ses oreilles « tremblondulent »… Et voilà qu'il **MUGIT**, non : qu'il **BARRIT**, d'une voix méconnaissable, suraiguë, sifflante et pourtant aussi puissante qu'une tornade…

– **ÇA SUFFIT !!!**

S'emparant à ce moment d'une pierre si grosse qu'il lui faut écarter les bras pour l'attraper puis la soulever (comme une plume !!!), Monsieur Ganèche la projette dans l'océan. À trois mètres de là. GHLOOFFF !! Les enfants en restent pétrifiés.

– **ON NE ME LA FAIT PAS, VOUS ENTENDEZ ? PAS À MOI. JE SAIS QUI VOUS ÊTES ! QUI VOUS ÊTES VRAIMENT !**

Dans sa colère, l'instituteur vibrionnant semble avoir (au moins) six bras ! Une image que les enfants ne sont pas près d'oublier.

– **ET VOUS VOULEZ SAVOIR CE QUE VOUS ÊTES ?!** vocifère-t-il encore, les yeux roulant dans leurs orbites.

Mais les enfants devront attendre pour savoir – et nous aussi –, car à ce moment, débouchant de derrière la pointe rocheuse, à bout de souffle, Zlatan se laisse théâtralement tomber à genoux dans le sable.

Un immense sourire lui fend le visage. Durant plusieurs secondes, il passe de l'un à l'autre, vérifiant qu'il est bien au centre de l'attention, comme il aime. Enfin, il annonce, fier comme un bar-tabac :

– J'l'ai… trouvée !! Lam… aison !

- Chapitre 3 -
L'antre d'Éon

Entièrement dissimulée au fond d'une crique profonde, une sorte de « maison-blockhaus » leur fait face. Elle est invisible depuis l'île comme depuis la mer : on y accède en bateau, en suivant un petit chenal tortueux. Sur la paroi, on aperçoit six petites fenêtres munies de forts barreaux ; en définitive, c'est une espèce de forteresse surplombant un débarcadère qui s'enfonce dans une grotte aménagée. Un canot amarré y clapote gentiment.

– On dirait un repaire de pirates, murmure Maïtiti, à moitié rassurée.

– Carrément !! répond Fatima, au contraire surexcitée.

– Comment tu l'as trouvée ? halète Tho dont le fauteuil est passé ric-rac dans le dédale aménagé entre les rochers.

– Le pif, mon pote ! C'est génétique. Mon père est un super aventurier et…

– Ta mère est bonne-sœur ? le coupe Lucas.

– Toi, le gros, ma parole…

– Silence ! fait claquer Monsieur Ganèche – et sa voix est aussitôt reprise en écho par la grotte qui leur fait face : « ***Silence !… ence !… ccee*** ». Zlatan, s'il te plaît, dis-nous comment tu as trouvé la maison.

– Vous me croirez pas !

– Bien sûr que je te croirai.

– Quand je dis la vérité, on me croit jamais.

– Zlatan…

– Sur la plage, j'ai vu un truc sortir de nulle part. Et c'était un… un perroquet, voilà !

– Le mytho !! s'esclaffent Céline et Lucas top synchro.

– Un perroquet en fauteuil roulant, je suppose ? surenchérit Tho de son air le plus sérieux.

– Vous voyez, lâche Zlatan, fataliste.

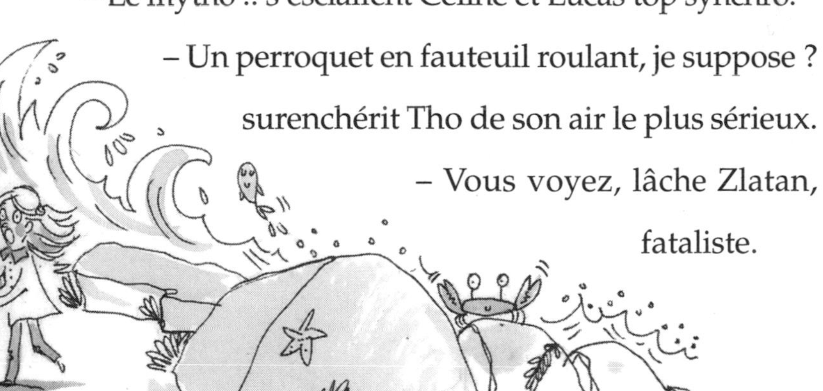

– Moi, je te crois. As-tu cherché la porte de la maison ? Sonné ?

– Non, j'ai tout de suite couru vous prévenir.

– Elle est là-bas, la porte ! s'écrie Fatima en désignant le fond de la grotte perdu dans l'obscurité.

– Comment tu saurais ?…, demande Tho.

– Je la vois. Au fond, à droite.

La petite troupe se retrouve bientôt à l'abri de la grotte. Comme ils s'avancent sur la rampe bétonnée, une odeur de plus en plus forte leur monte au nez.

– Lucas… t'abuses ! glousse Zlatan.

Puis, tout au fond dans la pénombre, comme indiqué par Fatima, ils trouvent une porte métallique.

– Silence, vous autres : je frappe ! intime Monsieur Ganèche.

Refermant son poing, l'instituteur donne quelques coups avec ses phalanges. Rien. Il recommence. Une main d'enfant, puis deux, trois, quatre, cinq, douze mains se mettent alors à tambouriner sur le battant. Monsieur Ganèche laisse faire…

Au bout d'une vingtaine de secondes, il stoppe le boucan d'un mot. D'un seul mot ! C'est fou comme son autorité a progressé depuis la scène de la pierre. « *Alors que je me suis bêtement mis en colère,* songe-t-il. *Décidément, l'être humain…* »

– Inutile d'insister de cette façon. Je vais essayer d'ouvrir.

Tous retiennent leur souffle tandis que la large main appuie sur la poignée, qui s'abaisse… mais sans résultat.

– Verrouillée ! Zlatan, Lucas, vous pouvez ressortir et appeler en direction des fenêtres ? Si personne ne répond, essayez de voir s'il n'y a pas une deuxième entrée ! Les autres, on cherche une clé. Un double caché quelque part.

– On va entrer dans le repaire des pirates ? s'inquiète Maïtiti.

– Ce n'est pas un repaire de pirates, Maïtiti. Et vu les circonstances, les gens comprendront très bien qu'on se soit mis à l'abri.

– Monsieur, l'interpelle alors Céline. Vous ne nous avez toujours pas dit ce qu'on est *vraiment*.

– En effet, répond l'instituteur, bizarrement gêné ; mais ce n'est pas tout à fait le moment, vois-tu ?

– Mais vous nous le direz, promis ?

– Euh, je… Promis. Cherchons la clé.

Tous s'agenouillent, fouillent, furètent. Fûts de gasoil vides, vieux paniers de pêche et anciennes… cages à oiseaux ?! Bientôt, la longue silhouette rondouillarde de Lucas se détache sur l'entrée de la grotte.

– Y a personne, M'sieur. Impossible de faire le tour : pas de chemin, que le rocher.

– Et où est Zlatan ?

– Il a voulu escalader sur le côté.

– LÀ ! JE L'AI !! s'écrie à cet instant Fatima, dont le bras tout entier a disparu… dans le mur !

Monsieur Ganèche s'approche tandis qu'elle retire sa main, repliée sur une petite clé triangulaire.

– Comment as-tu fait pour la voir ?

– Ben, j'ai mis mon œil en face du trou.

Intrigué, Monsieur Ganèche s'accroupit à son tour et... ne distingue rien du tout. Il se relève – tous s'agglutinent autour de lui (et autour de Tho qui, futé, a profité de la manœuvre pour placer son fauteuil aux premières loges). La clé entre dans la serrure ; l'instituteur la fait tourner, pousse la porte...

... et une **IGNOBLE** odeur d'urine croupie leur saute aussitôt au nez. Quelle horreur !! On se croirait dans le vivarium d'un zoo après trois semaines de grève du personnel de nettoyage ! À en pleurer.

– Ammoniac ! diagnostique Monsieur Ganèche en tendant son bras en travers du passage pour empêcher les enfants d'entrer.

Il risque un regard à l'intérieur : une pièce sans fenêtre où l'on ne distingue rien, hormis quelques masses sombres. Il laisse à ses yeux le temps de s'habituer à l'obscurité... Mille petits bruits lui parviennent : grattements, glissements, souffles et couinements. Puis il aperçoit un gros interrupteur lumineux et, à l'instant où il le presse, comprend enfin ce que ses oreilles lui racontaient...

– Nom d'un rat sans pattes !

Spectacle terrible. Dans une pagaïe de cages entassées les unes sur les autres, des dizaines d'animaux croupissent : gerbilles, opossums, lézards à crête, serpents... Monsieur Ganèche, terrassé par ce qu'il voit, se laisse pousser à l'intérieur tandis que la marmaille s'infiltre de part et d'autre en jetant des cris d'orfraie.

– Oh, , ce que ça schlingue !

– Qu'est-ce qu'y a ?!! Racontez-moi ! s'écrie Tho, coincé derrière.

– Là, regardez ! Une mygaaaale !!! hurle Lucas en désignant une boule de poils grosse comme la main (mais avec deux fois plus de doigts).

– Un boa ! Un bo-a !!! Hein, M'sieur, c'est un boa ?! (Céline).

– On dirait, en eff... N'approchez pas !

– Alors ? J'suis toujours un menteur ? interroge Zlatan qui désigne une haute cage dans laquelle s'entassent plusieurs perroquets aux couleurs splendides.

– Oh ! Regardez l'espèce de gros rat, là… Il bouge pas, il a l'air blessé !! s'écrie Maïtiti en tendant l'index vers une sorte de fouine fauve couchée sur le flanc.

– C'est l'arche de Noé, ici ! s'écrie Céline.

– Plutôt le contraire, je le crains…, répond Monsieur Ganèche d'une voix blanche.

– **Comment ça ?!** répondent en chœur les enfants en se tournant vers lui.

* * *

Pendant ce temps…

– Puisque j'vous dis que j'emmenais un groupe de gosses au centre de vacances ! Pis la Lulu est tombée en panne !

Encadré par deux hommes à la mine renfrognée, faisant face à l'adjudant Veracci qui, derrière son bureau, ne comprend rien de rien à cette affaire, Braouézec désespère.

– Ben voyons ! Alors pourquoi y avait pas un seul gosse sur ton rafiot quand on est arrivés, hein ?!

– J'en sais rien. Ils ont dû s'inquiéter et ils sont partis à ma recherche, voilà…

– Et pourquoi ton bateau a démarré au premier coup de clé, avec nous ?!

– La Lulu a toujours été capricieuse. Et, avec l'âge, ça s'arrange pas. J'venais demander du secours, j'vous dis. Parole de Breton !

– Monsieur Braouézec… admettez que les apparences jouent contre vous, intervient l'adjudant Veracci.

– Z'avez qu'à appeler l'adjoint au maire ! Il sait, lui. M'a vu partir avec les gosses !

– Très bien, convient le gendarme, appelons l'adjoint.

– C'est ça, appelez-le ! Nous, on en profitera pour porter plainte. Violation de domicile ; c'est du pénal ! On vous a suffisamment prévenus, vous les locaux. Mais non, sous prétexte que c'est né ici, ça se croit tout permis !

– Du calme, messieurs ; j'appelle.

* * *

En vérité, c'est pour dissimuler ses larmes que Maïtiti est ressortie la première. Elle est comme ça, Maïtiti : sensible au point qu'une cuillère en plastique se tordant au milieu des flammes lui fait rougir les yeux. *« Vous voyez pas qu'elle souffre ?! »*... La honte qu'elle s'était tapée, en colo. La souffrance, elle ne supporte pas. Alors, voir cette mangouste allongée sur le côté, avec son regard fixe et son ventre ballonné qui se soulevait par saccades... c'était trop pour elle.

– Tout-le-monde-dehors, j'ai dit !

– Mais M'sieur, on peut pas les abandonner !

– Qui parle d'abandonner qui que ce soit ? On ressort pour respirer un coup ; allez, zou !

Maïtiti voit la troupe refluer à ses côtés.

– Qu'est-ce que vous vouliez dire, Monsieur, en disant que c'était le contraire de l'arche de Noé ?

– Que vu le traitement réservé à ces pauvres bêtes, nous n'avons pas affaire à des gens qui leur veulent du bien. Je peux me tromper, mais je crois que les animaux que nous avons vus sont interdits à la vente en France ; ils appartiennent à des espèces protégées. Et comme tout ce qui est interdit, des trafiquants les font rentrer en cachette et les revendent... très cher ! Un perroquet, par exemple, vaut plus de 1 500 euros.

– **Naaan ?!!**

– Monsieur, intervient Céline, on est trempés. Si on reste là, on va choper la crève. Y a une porte au fond et...

– On pourrait au moins nourrir les animaux et soigner ceux qui vont pas bien ! coupe Maïtiti sans relever le visage.

– Stop ! Écoutez-moi bien : je ne suis **pas** vétérinaire, et certains de ces animaux sont **très** dangereux. De plus, nous ne sommes **pas** chez nous. On va entrer et se mettre au chaud, ça oui ; téléphoner à la gendarmerie si on le peut, mais on ne touche à rien.

– Mais… c'est des bandits, M'sieur ! s'enflamme Zlatan. C'est dégueu, ce qu'ils font !

– Ce sont de tristes sires, exact ! Et ce qui fait la différence entre eux et nous, c'est justement le respect de l'Autre… mais Céline a raison : tous au chaud. Et rappelez-vous : on ne touche à…

– Tout – *rien* ! je blague, c'est ma fourche qu'a langué.

– File, Zlatan, et pas de désobéissance. Si l'un d'entre vous se faisait mordre par un serpent ou une araignée, ce serait… **le drame**. Compris ?!

– *Piquer* par une araignée, rectifie Zlatan.

– Non : elles mordent, avec leurs crochets. File !

Il leur faut peu de temps pour explorer la maison-blockhaus. Dans le prolongement de la pièce aux animaux, une salle percée d'une petite fenêtre sert de buanderie et de cuisine : deux feux et un four directement branchés sur une bombonne de gaz. Sur la gauche, un « salon » meublé d'une grande table de bois, d'un canapé et de deux fauteuils qui font face à une cheminée. La dernière ouverture, masquée par un simple morceau de tissu, donne sur un minuscule cagibi tandis qu'un escalier collé au mur conduit à une trappe ménagée dans le plafond de pierre. *Quel étrange endroit*, se prend à penser Monsieur Ganèche qui, voyant frissonner Céline, revient vite à des considérations plus pratiques.

– Zlatan, va voir où mène l'escalier, stp, mais attention : tu ne prends aucun risque. Céline, regarde si tu ne trouves pas des vêtements secs, en priorité pour les trois petits malins adeptes des combats d'algues. Maïtiti, tu vas m'aider à allumer le feu…

– Mais, je ne sais pas faire ça, moi !

– Je vais te montrer. Lucas, cherche un téléphone. Et vous deux, Tho et Fatima, je veux que vous retourniez voir les animaux pour vérifier qu'ils ont tous à boire. Tout ça uniquement avec les yeux ; compris ?

Tho roule des yeux d'un air désespéré.

– Oui, Monsieur, mais… mon problème de tout à l'heure, là, vous savez…

Monsieur Ganèche s'approche de lui et chuchote :

– Justement : j'ai vu des WC dans la pièce des animaux.

– Mais s'il y a Fatima avec moi…

– Re-justement. Si quelqu'un vient, elle le stoppera.

– Ça m'ennuie de lui demander ça. Je ne la connais pas, moi…

– Tho. On vit tous ensemble et il n'y a que ce WC. Tu peux lui faire confiance. Je te parie même qu'elle va te demander la même chose… OK ?

– Si je n'ai pas le choix, conclut Tho en faisant pivoter son fauteuil.

– Hé ! Refermez la porte, qu'on puisse respirer ! ajoute Monsieur Ganèche en ouvrant les fenêtres. Et enfermez-nous à clé !!

Quelques minutes plus tard, un grand feu pétille dans la cheminée, distribuant de joyeux éclairs sur les murs de la pièce. Monsieur Ganèche demande à Lucas s'il a trouvé un téléphone… Non. Tho et Fatima rapportent de nouvelles bûches et Tho adresse à l'instituteur un

signe discret, pouce levé. Quant à Zlatan, il fait son rapport sur le sentier bétonné qui, depuis la trappe, monte jusqu'au plus haut rocher ; de là, on aperçoit la côte et le port de Larmoric. Aucun bateau en vue.

Céline a sorti d'une malle les quelques vêtements qui s'y trouvaient : tee-shirts usagés, gros pulls de laine et pantalons trois fois trop grands. Elle glousse avec Fatima et Maïtiti en les déployant devant elle.

– C'est juste pas possible ! s'exclame-t-elle.

– C'est propre, non ? s'impatiente l'instituteur. Vous prenez chacune un tee-shirt et un pull et vous vous changez. Lucas, tu passeras juste après. Vraiment dommage que tu n'aies pas trouvé de téléphone…

– Aucun ! Y a juste un ordi, dans un coin.

Tous le fixent avec consternation.

Une minute plus tard, Tho trouve le fil qui relie l'ordinateur au réseau téléphonique. Dix minutes plus tard, il demande à l'instituteur s'il préfère joindre la mairie ou la gendarmerie. Après quelques secondes d'hésitation, Monsieur Ganèche opte pour la gendarmerie.

Tragique erreur. Mais cela, personne ne peut encore le savoir…

* * *

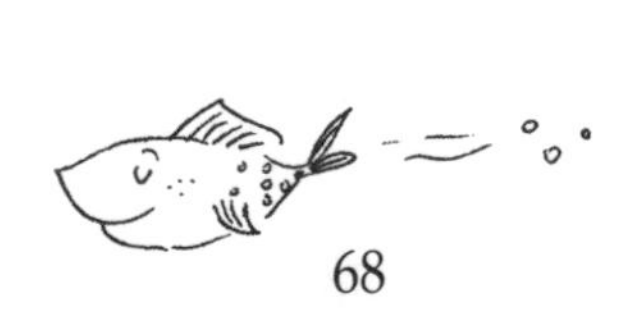

À la gendarmerie, justement…

– Bon Dieu d'bois ! s'écrie Braouézec. Il répond pas, ce sacré adjoint ; sûr qu'il est dans son jardin. On n'a qu'à y aller – et vous venez ! J'vous rappelle qu'y a six gamins et leur instit' bloqués sur l'île. S'il leur arrive quekchose, ce sera vot' faute !

Déstabilisés par cette dernière remarque, les gendarmes se regardent. Tout le monde sait que Braouézec a tendance à pousser sur la bouteille, mais là, il n'a pas l'air si soûl…

– Sortez avec moi, au moins, que j'vous montre sa maison. Elle est à trente mètres. J'vais pas m'enfuir !!

Sans attendre la réponse, Braouézec se dirige vers la sortie, escorté par les deux gendarmes et l'un des habitants de l'île – le second acolyte, un grand costaud au crâne rasé, Francis, s'avachit sur son siège et déclare d'un ton las :

– J'vous attends ici.

La porte vitrée se referme sur les quatre silhouettes…

… lorsque, pile à cet instant, la sonnerie du téléphone déchire le silence.

Une fois, deux fois, trois…

De dehors, les autres n'entendent rien et Francis se demande s'il doit décrocher. Machinalement, l'homme jette un œil sur le téléphone – et ce qu'il découvre le stupéfie.

– C'est impossible… impossible !

Sur le cadran, c'est *SON* numéro qui s'affiche, celui de l'îlot Craouch ! Alors qu'il ne peut y avoir personne dans la maison… Personne !! À moins que ?… Paniqué par les déductions en chaîne qui lui explosent à l'esprit, l'homme se lève ; lance un coup d'œil vers la porte et décroche :

– Gendarmerie, j'écoute !

Et là, ainsi qu'il le redoutait, une voix d'enfant lui répond :

– Bonjour. Ne quittez pas, je vous passe notre instituteur !

Quelques phrases échangées ensuite, comme dans un songe. Francis s'applique à paraître aussi posé que possible, mais en réalité, il est terrifié. Ses pires craintes se réalisent : cet ivrogne de Braouézec disait vrai, un groupe d'enfants se trouve sur l'île ! Ils ont pénétré dans la maison ; ils ont donc *TOUT* découvert.

Francis sent la sueur couler le long de son torse, n'entend plus rien de ce que lui raconte le prof. Tout ce qu'il peut faire, c'est répéter plusieurs fois : « *Ne bougez pas, on arrive* ». Et il raccroche, se précipite dehors et fonce sur son compère, Luis, un garçon plus jeune et rondouillard dont les yeux perpétuellement écarquillés laissent penser que le spectacle du monde n'en finit pas de l'étonner (ce qui est un peu le cas quand même)...

– Faut qu'on file. De suite. Viens !

L'adjudant, surpris, s'approche d'eux.

– Vous partez ? Mais... et votre plainte ?!! s'étonne-t-il.

– Une urgence ! aboie Francis. On repassera. Braouézec, tu perds rien pour attendre !

Sous le regard médusé des gendarmes, les deux hommes sautent dans leur pick-up et disparaissent.

* * *

Grâce au haut-parleur de l'ordinateur, les six mômes, agglutinés derrière l'instituteur, ont suivi la conversation. Quand le gendarme a répété : « *On arrive* », toute la troupe a éclaté de joie.

– On va les guetter de là-haut !! s'écrie Zlatan.

– D'accord, répond Monsieur Ganèche, mais seulement quand ces trois-là se seront changés.

– Pitiééé ! implore Céline. C'est pas possible, ces fringues.

– C'est sortir trempée qui ne sera pas possible. Zéro négociation !

– Je peux y aller, moi ? demande Zlatan qui ne tient plus en place.

– Je vais rester pour alimenter le feu, propose Tho.

– Pourquoi dis-tu cela ? interroge Monsieur Ganèche…

… dont les yeux tombent alors sur le fauteuil roulant et… l'escalier ! Saisissant les poignées du fauteuil, il s'écrie aussitôt :

– Zlatan, viens m'aider à monter ton camarade !

Mais Zlatan se contente de hausser les épaules, puis jappe :

– Handicapman, il a qu'à rester près de l'ordi, puisque c'est notre sauveur ! J'ai assez trimbalé son fauteuil. Y a pas marqué « Baby Sister » sur mon front.

Et il s'évapore.

– Baby-*sitter*, gros naze ! aboie Céline dans son dos.

- Chapitre 4 -
La révélation

– Ha ha ! Vous êtes magnifiques, les filles !! s'écrie Tho. Magnifiques ! Céline, tu peux avancer en mettant les mains sur les hanches, genre *fashion week* ?

– Toi, Handicapman, la ramène pas trop, OK ?

Monsieur Ganèche a bien du mal à ne pas sourire : avec leurs pantalons de toile et leurs gros pulls informes, ces trois-là ressemblent à… à rien du tout, en fait.

– Ça gratte le cou, en plus ! (Céline).

– Fais passer le col de ta chemise par-dessous, conseille Monsieur Ganèche. Et étendez vite vos vêtements devant le feu, qu'on puisse aller guetter les gendarmes. Trois points de bonus à celle ou celui qui les apercevra en premier !

– Et si Zlatan les a déjà vus ? C'est pas juste ! s'exclame Lucas.

– Parti avant le top, faux départ ; disqualifié.

Mais de toute façon, Zlatan n'a rien aperçu du tout. Lorsqu'ils le rejoignent, tous se mettent à surveiller l'horizon. Au bout de quelques minutes, cependant, aucun mouvement ne se produisant, les regards divaguent et les enfants commencent à se pousser de l'épaule à coups de « *Tu prends toute la place !* », « *J'y étais avant* », etc.

– Arrêtez ! s'écrie l'instituteur.

– Pfff... Vous avez pas compris qu'ils viendront pas ! lâche Zlatan.

– Pourquoi ils viendraient pas ? s'affole Maïtiti.

– Ils ont dit qu'ils viendraient. Donc : ils viendront, reprend Monsieur Ganèche calmement. Les gendarmes d'un petit village comme Larmoric n'ont certainement pas leur propre embarcation. Il leur faut en trouver une. Un peu de patience…

– Quelle patience ?! Ça fait trois quarts d'heure ! Au moins, ils auraient rappelé ! rétorque Zlatan en haussant les épaules.

– J'y ai pensé, admet Monsieur Ganèche ; peut-être ont-ils essayé. On aurait dû laisser quelqu'un près de l'ordinateur.

– Ils en ont rien à fou… ***à faire*** de nous, c'est tout !! aboie Zlatan.

– Vu ton sens du collectif, c'est amusant que ça vienne de toi ! ricane Tho sans cesser de fixer l'horizon.

– Ça veut dire quoi, ça ?

– Ça veut dire que vu que *toi*, tu ne te soucies pas des autres, tu penses que tout le monde est pareil.

– Pfff ! Tu t'prends pour Didier Deschamps ou quoi ? T'es *vraiment* un boulet, en fait !

– Stop ! s'interpose Monsieur Ganèche. J'ai commis une erreur, d'accord. Deux ou trois d'entre nous vont retourner là-bas, au cas où ils appellent.

– Pourquoi on les rappelle pas, **nous** ? intervient Maïtiti, avide d'être rassurée.

– Pourquoi pas, oui. On va tirer un groupe au sort que j'accompagnerai ; les autres resteront ici.

– D'accord, répond Céline. Mais avant, y a un truc que vous devez nous dire, M'sieur. C'est qui on est *vraiment* !

– C'est vrai ça, débarque Lucas, presque intéressé.

– Nooon, on rentre ! braille Zlatan, soudain mal à l'aise. Ça commence à cailler ici.

– C'est vrai que le moment n'est pas idéal..., convient l'homme aux grandes oreilles.

– Vous avez promis ! argumente Céline. Et, vu notre situation, ce sera jamais l'idéal.

– De savoir quoi ? atterrit Fatima qui vient d'abandonner, momentanément, l'histoire de pirates qu'elle s'inventait en regardant le soleil rougir.

– Qui vous êtes *vraiment*, articule l'instituteur en les fixant. Tu as raison, Céline. Il faut que je vous l'apprenne. Même si à vrai dire, je n'en reviens toujours pas.

– Nous non plus, on reviendra jamais si on reste ici !! essaie Zlatan, sans grand succès.

– Commençons par Fatima, déclare Monsieur Ganèche. Fatima est née un lundi. Savez-vous d'où vient le mot *lundi* ?...

Silence dans les rangs.

– Du latin « *lune dies* » : le « jour de la lune ». C'est pour cette raison que Fatima voit dans le noir. Comme pour la clé au fond du boyau, dans lequel on ne voyait absolument rien. J'ai vérifié.

– Tu vois dans le noir ?! l'interroge Maïtiti d'un air stupéfait.

De sa main levée, Monsieur Ganèche rétablit le silence ; puis, son poing se referme – à l'exception du pouce, qui semble leur dire : « *Et de un !* »

– Zlatan. Tu es né un mardi.

– Je sais, répond ce dernier d'un air étonnamment sérieux : le jour où on en a marre ! J'étais pas né que j'en avais déjà ma claque !

Et d'éclater de rire, accompagné de Lucas dont il s'est assuré le renfort en lui prenant le bras.

– Mardi vient de « *Mars dies* », le jour du dieu Mars, le dieu de la guerre. Dont, *d'évidence,* votre camarade incarne toute l'énergie brute.

– Ah ! J'suis un dieu en fait, c'est ça…

– Chhhuuut !!!

– Tho, maintenant. Tho est né un mercredi, « *Mercure dies* ». Et en effet, tout comme le dieu Mercure aux pieds ailés, Tho essaie sans cesse de *relier* toutes les choses entre elles, de… faire le pont. Ensuite, Lucas : toi, tu es né un jeudi, jour de Jupiter. Car figure-toi que derrière ton apparente insouciance, se cache une volonté… de FER.

– Une volonté de fer ? Euh, moi ?! s'esclaffe l'intéressé, déclenchant tous les rires.

– Exactement ! reprend Monsieur Ganèche. Une persévérance inaltérable qui, *un jour,* se manifestera autrement qu'en redoublant toutes tes classes… Tu verras. Maïtiti ! Ah ! Maïtiti, née un vendredi ; enfant de Vénus, douce et sensible donc, elle inspire à tous un Amour spontané qu'elle leur porte en retour. Humains, animaux, plantes… Elle les aime et les comprend tous. Et Céline, pour finir, née un samedi, le jour de Saturne…

– Et alors ?! coupe Céline, sur le qui-vive.

– « *Et alors ?* », reprend Monsieur Ganèche. Dis-moi, Céline : quelle heure est-il, d'après toi ?…

– Je sais pas, moi… 20 h 40 ?

Monsieur Ganèche jette un coup d'œil à la montre fixée à son poignet :

– 20 h **42** pour être précis.

– **Hé, mais !!** s'exclame Céline en ouvrant de grands yeux : j'ai dit 40, mais j'pensais 42, juré !! J'ai arrondi parce que ça faisait genre, « 42 ». Trop précis, quoi.

– On te croit ! se moque Zlatan.

– *On la croit,* en effet, tranche Monsieur Ganèche, caaar… Saturne – chez les Romains – s'appelait Chronos chez les Grecs : le maître du temps ! En conséquence, Céline maîtrise le temps…

– Je maîtrise surtout qu'il est tard et qu'on crève de faim ! réplique-t-elle.

– Je finis. J'en ai pour 30 secondes.

– Finir quoi ? On est tous nés un jour différent, c'est bon ! lâche Zlatan d'un air dégoûté. Et alors ?

– **ET ALORS ?!!** s'étrangle Monsieur Ganèche. Mais !… vous n'avez pas l'air de réaliser à quel point cela est extraordinaire ! s'enflamme-t-il, son nez virant au rouge foncé. Savez-vous quelle est la probabilité pour que six personnes prises au hasard soient toutes nées un jour différent ?…

Il porte son regard sur Tho qui, cette fois, ne semble pas en savoir plus que les autres.

– Écoutez-moi bien : la chance pour que six personnes réunies soient nées un jour différent est d'une sur… **PLUSIEURS DIZAINES DE MILLIERS !!!** Autant dire, **aucune**. *De quel hasard parle-t-on, à la fin ?!* Vous six, là… votre rencontre était pré-des-ti-née ! Vous avez, ENSEMBLE, de *Grandes Choses* à réaliser.

– Ouais ! intervient Céline. En attendant, on va voir dans les placards ce qu'il y a à manger. Vous nous raconterez la suite après.

– Maaaiis…, balbutie l'instituteur. Il n'y a *pas* de suite ! Enfin bon sang, est-ce que personne ne se rend compte comme c'est incroyable ?… Hééé !! Personne ne reste pour surveiller ?!…

– Surveiller quoi ? On va les appeler et on saura, lâche Lucas.

Laissant passer Tho, Monsieur Ganèche jette un dernier regard au soleil qui frôle la mer. Puis, à contrecœur, il prend lui aussi le sentier du retour. Quelques mètres devant, le fauteuil de Tho s'immobilise.

– Et sept personnes nées un jour différent, Monsieur ?... ce serait *encore* plus rare. Forcément.

– Forcément, puisqu'il faudrait multiplier une fois de plus par 6 – ou 7, je ne sais plus. La chance pour qu'une telle chose advienne se réduit alors à une sur des ***centaines*** de milliers !!

– Si vous étiez né... un dimanche, par exemple. Le jour du soleil, je crois ?

– Par exemple. Et ce que tu crois est juste !

– M'sieur, vous pensez vraiment qu'on ne s'est pas rencontrés par hasard ?

– De quel hasard parle-t-on, Tho ? *Une chance sur des centaines de milliers !...*

Là-bas, les enfants sont parvenus à la trappe ; agglutinés autour du trou, ils attendent leur tour pour se faufiler dans l'ouverture.

– Lucas, tu te grouilles de descendre ?! crie Zlatan.

– On voit rien là-dedans. Quelqu'un a éteint les lampes.

– Quel est le conn… euuuh, qui est sorti en dernier ? enchaîne Zlatan.

– Moi, répond Monsieur Ganèche.

Il s'apprête à réprimander Zlatan pour le gros mot évité de justesse, mais sent à ce moment qu'on lui tiraille la manche – c'est Tho, qui lui fait signe d'approcher.

– Si je vous avoue un truc, Monsieur, vous ne vous fâcherez pas ?

– Vas-y.

– C'est à propos de vous, et de vos… Enfin… Non, rien, je vous dirai une autre fois.

– Parle, te dis-je. C'est à propos de mes oreilles, n'est-ce pas ?

– Un peu. Quand vous êtes en colère, avec votre nez qui s'allume et vos oreilles qui vibrent comme des libellules, on dirait trop un… un éléphant. Oui, une sorte d'homme-éléphant !

– Vraiment ?! Et co…

L'homme aux grandes oreilles n'a pas le temps de finir sa phrase. Car ce qu'il commençait à redouter est en train de se réaliser…

– Mais allume ! Appuie sur le bouton ! crie Zlatan.

– J'ai appuyé dix fois, rétorque Lucas ; ça marche pas. *Y a plus d'courant*, c'est tout !

- Chapitre 5 -
Le Quign-Amann

– Un point de bonus à celui qui trouve des bougies ! crie Monsieur Ganèche à travers le trou.

Aussitôt, les hurlements de peur et de colère se changent… en cris d'excitation et bruits de chaises renversées. Et les mômes se dispersent partout, excités.

– Y a pas à dire : vous êtes fort ! lâche Tho en approchant son fauteuil pour observer la cohue.

– « *Donne-leur une tour à bâtir et tu en feras des frères* ». Saint-Exupéry. L'important, c'est d'avoir un but commun.

– Sauf que pour le coup, Fatima est drôlement avantagée si elle voit dans le noir.

– Mince ! je n'y avais pas pensé.

– Et si on trouve une torche, M'sieur, ça compte ?! hurle Zlatan trois mètres plus bas.

– Deux points si elle marche ! crie Monsieur Ganèche en retour. Fatima ?! As-tu déjà trouvé quelque chose ?

– Dix bougies. Neuves !

– Magnifique ! Je te fais un prix de gros : un point pour les dix. Allumes-en partout, s'il te plaît, mais tu es hors-concours, désolé.

Et ainsi…

… 18 bougies, 3 torches et 2 lampes à pétrole plus tard, Monsieur Ganèche sépare les enfants en deux groupes : la nourriture des animaux et celle des humains. Accompagné de Zlatan et Maïtiti, il entre dans la pièce voisine. Et franchement, il était temps ! Monsieur Ganèche et Zlatan commencent par trier les caisses : ici les insectes rares et les araignées, là les reptiles ; à gauche les oiseaux, à droite les mammifères…

Puis, après avoir défini une zone que Maïtiti nomme « l'hôpital », ils y déposent les cages des animaux qui paraissent le plus mal en point, en s'aidant d'un bâton muni d'un crochet.

De son côté, Maïtiti fait le plein des écuelles d'eau. Monsieur Ganèche doit vite se rendre à l'évidence : tous les animaux se montrent *bien moins* effrayés ou agressifs lorsque c'est elle qui les approche...

– Et ça, M'sieur ?! C'est quoi ?! demande Zlatan en désignant du doigt la petite fouine fauve rayée de zébrures foncées qu'ils avaient remarquée à leur entrée...

– Un meerkat, répond l'instituteur en s'approchant. Une mangouste du désert... Pas l'air en grande forme, dis donc. Direction l'hôpital.

– **M'sieur ! M'sieur ! Venez !!**

La voix de Lucas, étonnamment énergique. Monsieur Ganèche se tourne vers Zlatan.

– Je te fais confiance, OK ? Une seule petite morsure, et c'est le drame...

– J'touche à rien. Ma parole !

10

Lorsqu'il pénètre dans la pièce principale, Monsieur Ganèche est stoppé net par le spectacle qui s'offre à lui. Uniquement éclairée par les flammes dansantes de la cheminée et la lumière des bougies, le décor est celui d'un conte de Noël… Et les enfants – ces enfants avec qui il vit depuis seulement *quelques heures !* –, ces trois-là le regardent comme s'il était… quoi ? Un grand frère ? Un super-héros ? Un parent ?… Céline, Fatima et Lucas se tiennent devant le placard et désignent du doigt quelque chose qui échappe à sa vue.

– Le compteur, précise Céline. Il est enclenché. Et pourtant ça ne marche pas…

– Ah ! Voyons ça, grommelle Monsieur Ganèche en contournant la table de bois, tout en vérifiant d'un coup d'œil la cheminée.

– Vous inquiétez pas, j'ai alimenté le feu ! commente Céline (à qui, décidément, peu de choses échappent).

L'interrupteur du compteur est bien en position I, ce n'est donc pas un fusible qui a sauté ; sans doute une coupure de courant sur le continent.

– Et notre repas du soir ; comment ça s'annonce ?

– En entrée : sardines pour tout le monde, annonce Céline. Deux chacun… Enfin, quand Lucas aura rendu la troisième boîte.

– Quelle boîte ?!

– Dans ta poche, glouton. Ensuite, au choix : cassoulet haricots blancs ou petit salé aux lentilles.

– Formidable ! s'écrie Monsieur Ganèche. Et peut-on espérer quelque chose de sucré au dessert ?

– Pas trop. Les provisions sont en bout de courses, commente Céline en ouvrant le mini-frigo : presque plus de beurre, 6 œufs, du fromage très… avancé, et basta !

– On n'aurait pas un paquet de farine ?

– Euh, si, répond Céline en l'attrapant dans le placard derrière elle.

– On a six œufs, de la farine. Et du sucre ?

– Du sucre, confirme Céline.

– Pas de fruits, frais ou secs ?

– Un sachet de pruneaux. Mais personne aime ça, sauf Lucas.

– Ben… Et moi, alors ?! s'étonne sincèrement Monsieur Ganèche.

– Désolé, j'y ai pas pensé. À la maison…

– … tu ne t'occupes que des enfants, compris. Lucas ? Ferais-tu don de *ton* sachet de pruneaux à la communauté pour améliorer notre super Kouign-Amann, un délicieux far breton réalisé avec les moyens du bord ?

– D'accord.

– Merci ! Fatima, veux-tu… Fatima, tu m'écoutes ?!!

Un paquet de lentilles sèches à la main, la jeune fille finit par émerger de sa rêverie. Cette fois, elle s'imaginait en fée marine, chargée de sauver un bateau du naufrage.

– Fatima, j'ai une petite mission pour toi, si tu le veux bien. Il s'agit de…

– Monsieur ! C'est bien « l'îlot Craouch » qu'il a dit, le pêcheur ?

– Exact, Tho.

– Ça y est, je l'ai trouvé ; sur les deux cartes !

– Excellent, j'arrive. Fatima, écoute…

Franchement, Zlatan a hésité. Un peu. Enfin, à vrai dire… pas longtemps. Avoir **sa** mygale ! Qui n'en a pas rêvé ? Bon, sans doute plein de gens, on est d'accord ; mais lui, ça le fait kiffer grave. Le prof est pas là, Maïtiti occupée à soigner un raton-laveur… En plus, il a trouvé une petite boîte idéale, qu'il a réussi à faire descendre dans la cage aux araignées avec une ficelle, avant de pousser dedans la plus grosse bestiole (tant qu'à faire !) et… Yes ! Une mygale, une vraie, pour lui tout seul !

– **MAÏTITI, ZLATAN, QU'EST-CE… !!**

Zlatan sursaute en voyant l'instituteur entrer sans prévenir, mais Monsieur Ganèche ne le regarde pas : il fixe

Maïtiti. Quelle n'est pas sa stupéfaction quand il la découvre en train de *bercer* le meerkat dans ses bras !

– C'est elle qui m'a demandé, Monsieur ! susurre la petite. Elle avait soif et froid ; froid, surtout. J'en ai vu plein à la télé, c'est pas agressif comme animal.

– Tu as vu ses canines ?! Elle peut tuer un serpent !! Et toi, Zlatan, tu l'as laissée faire ?...

– J'ai rien vu, M'sieur ! J'étais occupé à renverser des graines... euh ! à les ramasser, j'veux dire.

– Nom d'un rat sans pattes ! Deux minutes ; j'ai tourné le dos *deux minutes* !

Puis il désigne l'animal du menton :

– Bon. Comment on va l'appeler ?...

* * *

Aaaaaah. Manger quand on a *vraiment* faim !... À la lueur des lampes à pétrole, on n'entend plus un mot ; rien que des « slurp » et des « croonch ». Céline a découpé les parts et personne n'a trouvé à y redire – enfin, personne… mais on a bien senti que c'était pour la forme qu'il protestait, Z. Au fond d'un carton posé près de la cheminée, sur un vieux pull, la meerkat somnole. Maïtiti est parvenue à lui faire ingurgiter quelques cuillerées d'une bouillie de croquettes et d'eau.

Monsieur Ganèche fixe cet instant dans sa mémoire. Qu'est-ce qu'il fabrique ici ? Sur une île *interdite*, entouré d'une tripotée de bras cassés dont lui échoie la « charge »…

– Rends ça, bâtard !

– Zlatan ! Nouveau mauvais point.

– Pitié, M'sieur ! Comment je fais ? J'suis obligé d'perdre, entouré 24 sur 24 par des débiles !

Protestation générale : Céline le siffle. Un moment, le garçon reste sans rien dire. Ses yeux vont et viennent de l'un à l'autre. Il ouvre la bouche mais… ne dit rien. S'agite comme si un violent combat intérieur le déchirait. Et puis :

– Toute façon, c'est d'la , ce concours ! Dans quel film vous vous souvenez des points que vous nous avez donnés depuis l'début ?!! C'est du foutage de ☠⚡☠ , les gars ! C'qu'il veut, c'est qu'on fasse les gentils toutous bien sages : au pied ! couché ! rapporte !

Contrairement à ce que tous attendent, l'instituteur ne pipe mot. Il mange, très calme, et le silence s'éternise. Trente secondes, quarante… une minute, sans plus aucun « slurp ». Et puis :

– Peux-tu prendre le petit cahier posé là-bas et un stylo, Céline, s'il te plaît ?

Céline prend.

– Prête à noter ?

– Prête je suis, maîîître !

Monsieur Ganèche lui décoche un grand sourire, puis énumère, posément :

– Fatima, Maïtiti, Tho : zéro point… pour l'instant ! Félicitations à vous trois. Céline : 1 point : pendant la bataille d'algues. Je ne te compte pas le gros mot du dictionnaire. Lucas : 1 point également.

– Hein ?! Quand ça ?!

– Quand tu as appris que cette île était surnommée « l'île interdite », tu as prononcé le fameux mot de cinq lettres. Dont acte ! Zlatan, enfin : le mot de Cambronne pour commencer, sur le bateau. Un « Ta » de routine et deux « », le premier lors du concours de ramassage, l'autre pour la forte odeur en arrivant. Ce qui nous fait quatre mauvais points, auxquels s'ajoute un point global pour ton tout récent discours. Cinq points, donc. De tous, tu es largement le pire !

Si les poignards qui jaillissent à ce moment des yeux de Zlatan étaient vrais, Monsieur Ganèche ressemblerait à un napperon en dentelle.

– ***Mais !...*** si l'on s'intéresse à *l'autre* concours, reprend l'instituteur, le positif, celui des crabes et de la recherche de bougies, c'est toi qui as marqué le plus de points : 6 en tout, grâce à ta torche et aux deux lampes à pétrole qui nous éclairent.

Du pire, tu deviens le meilleur. Intéressant, non ? J'ai aussi beaucoup apprécié tes « *gentils toutous bien sages : au pied ! couché ! rapporte !* ». Cette tirade, mon cher Zlatan, est digne d'un mammifère supérieur doué de la parole. Sais-tu que ces mots, tous parfaitement polis, font beaucoup plus d'effet par l'image qui saute aux yeux que n'importe quel «  » et autres «  de ta mère » que le premier teigneux te servira ? Penses-y.

Silence… triomphal. C'est peu dire que la petite bande reste scotchée.

– Comment vous avez fait pour vous souvenir de **TOUT ?!!** rétorque Zlatan.

– J'ai une bonne mémoire, concède Monsieur Ganèche.

– Une mémoire d'é… commence Tho.

– …léphant ? complète Monsieur Ganèche avec un sourire que lui restitue le garçon. Écoutez-moi ! Pour accompagner notre fabuleux gâteau, je vous propose un concours hors-concours, sans vainqueur ni perdant. Le but ? Trouver la plus grosse insulte, MAIS… *sans prononcer un seul gros mot*. Exemple : au lieu de dire : « ! », vous direz : « *Cervelle de moineau !* » ou : « *T'as un p'tit pois dans la tête* », deux expressions connues mais où l'on voit déjà l'image. Si vous êtes plus créatifs, vous crierez : « *Cervelle de yaourt ! Te mouche pas trop fort, tu finirais dans ton mouchoir !* ». Réfléchissez, ça va bientôt être votre tour et, surtout, n'ayez pas peur de sortir tout ce qui vous passe par la tête : tout !... sauf des gros mots. OK ?

Les enfants se regardent en écarquillant les yeux. Monsieur Ganèche, lui, va prendre le gâteau dans le four, pose le plat brûlant sur un journal, s'empare d'un couteau et découpe huit parts d'où s'exhalent de délicieux fumets.

– Le célèbre trois-quarts-et-demi de « Fati-line » – alias « Céli-ma ». Attention : c'est chaud !

L'instituteur dépose une part devant chacun.

– Pourquoi trois-quarts-et-demi ? demande Zlatan.

– J'avais pas assez d'beurre, répond Céline qui les regarde tous... se régaler.

« *Trop bon !* » (Lucas), « *Excellent, encore bravo !* » (Ganèche), « *Mhhhh* » (Maïtiti), « *Il manque pas un peu de sucre ?* » (Céline, qui s'est enfin autorisée à goûter).

– Jamais de la vie ! répond Monsieur Ganèche. Il est par-fait. Alors ? Parés pour le faux concours ? Qui se lance ? Céline ?...

– Pourquoi moi ?

– Pour la même raison que d'habitude : le monde est porté par quelques êtres de bonne volonté, auxquels il est demandé plus qu'aux autres... mais tu as déjà compris cela. À moins, bien sûr, que quelqu'un d'autre veuille ouvrir le bal ?

– T'es... *(grosse inspiration :)* T'es attirant comme un vieux mégot tombé dans des toilettes dont la chasse d'eau marche plus depuis 10 jours !!! lâche Céline d'une traite.

– Félicitations ! commente Monsieur Ganèche. Commencer n'est jamais facile et je ne vois rien d'incorrect dans ta phrase, pour un résultat qui ne manque définitivement pas d'énergie. Néanmoins, davantage de concision serait la bienvenue. En un mot : des phrases courtes pour un effet choc. À qui le tour ?

– Crotte de nez macérée dans du vomi d'chacal ! s'écrie Lucas.

– Pas mal du tout, apprécie Monsieur Ganèche ; percutant, même. Le mot « crotte » serait jugé limite dans une compétition internationale, mais sur cette île, il convient très bien. Suivant…

– Particule infinitésimale d'un moins-que-rien pourrissant au 28e sous-sol d'une prison nord-coréenne désaffectée !!! rafale Tho en fixant les flammes du feu.

– Ça, c'est envoyé ! On dirait du rap ! Fatima ?

– Ténia diarrhéique agonisant d'une douloureuse décomposition !

– Waaaah ! s'exclame Monsieur Ganèche en se tapant d'aise sur les cuisses. Suivant ?…

– Face d'huître !

– Relent de pet foireux de charognard atteint de gastro !

– Poche à purin percée !

– Invendu de chez Emmaüs !

– Larve lécheuse de latrines bouchées !

– C'est exactement ça, les amis. Bravo ! J'apprécie la belle allitération finale. Mais attention : ne tombez pas dans la pure imagerie scatologique. Restez créatifs !

– Sueur de singe ! Croûte purulente !

– Aïe ! ils font mal, ceux-là ! commente Monsieur Ganèche en se recroquevillant, hilare.

– Mouche borgne ! Avorton d'écrevisse !

– Bouillon de morve !

– Vessie d'huissier !

– **Stop !** Attendez, s'écrie soudain Céline en levant la main, les yeux rivés sur le petit carnet qu'elle vient d'ouvrir pour comptabiliser les points. Désolée, mais… on est bien le vendredi 2 mai, non ?!

– Oui, pourquoi ? rebondit Monsieur Ganèche.

– Le carnet *(elle le montre)*, y a deux colonnes dessus : « LIVRAISONS » et « EXPÉDITIONS », avec des dates et des chiffres. La dernière livraison a eu lieu le 30 avril : « 32 PIÈCES ». Et en face d'« EXPÉDITION », y a cette date : « 2 MAI ». Aujourd'hui !

– Maïtiti, Zlatan. Vous diriez qu'il y a combien d'animaux, à côté ? (Monsieur Ganèche.)

– J'sais pas…, répond Zlatan. Au moins 20. Plus, avec les araignées, tout ça.

– Lucas, tu peux vérifier, stp ?… Sans t'approcher des cages !

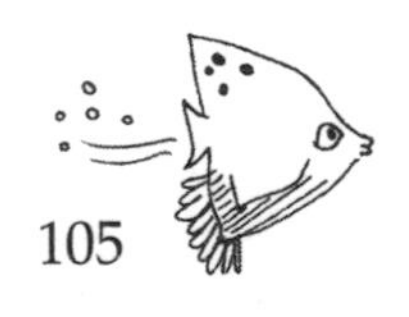

Pendant que le garçon, muni d'une lampe-tempête, passe dans la pièce à côté, l'ambiance s'assombrit d'un coup. Tous regardent l'instituteur découper la part restante en six morceaux, qu'il distribue à chacun des enfants. Mais personne n'y touche – pas même Zlatan (qui avait conservé sa part entière pour faire bicher les autres, plus tard). Bientôt, un cercle de lumière se propage sur le plafond…

– J'ai compté deux fois. J'en ai vu 30.

– 30 pour 32 recensés… si on compte le meerkat, on y est presque, verdicte Monsieur Ganèche. Merci, Lucas. Possible qu'un des animaux soit mort. Ou que tu te sois trompé d'une unité… mais une chose est sûre : c'est *cette nuit* que le transport des animaux est prévu. Ce qui expliquerait la nervosité des habitants de l'île, et le fait qu'ils aient éloigné Braouézec au plus vite.

– Ces gens… ils… ils vont revenir, alors ?! demande Maïtiti qui, durant l'absence de Lucas, est allée chercher le carton contenant la mangouste et caresse l'animal du dos des doigts, sans que l'instituteur n'ose rien lui dire.

– Ils vont revenir, oui. Je ne sais pas ce qu'ils ont inventé pour retarder les gendarmes, mais ils vont tout faire pour effacer les traces de leur trafic. C'est la prison pour eux, s'ils sont découverts ! Ainsi, notre panne de courant n'est pas le fruit du hasard. C'est eux qui ont coupé le courant, afin de nous empêcher de communiquer !

– Qu'est-ce qu'on va faire ? demande Céline en fixant l'instituteur.

Zlatan s'est mis à grignoter sa part de gâteau en silence, sans joie.

– Je n'en sais rien, admet finalement Monsieur Ganèche en les dévisageant tour à tour. Et de murmurer, en arrivant au dernier : Rien du tout.

Puis, posant les yeux sur le carton que Maïtiti tient serré contre elle, il ajoute :

– Nous avons une autre question à régler... Quel nom allons-nous donner à notre mascotte ?!

La carte de l'îlot Craouch !

Endroit où
Braouézec a accosté,
en panne.

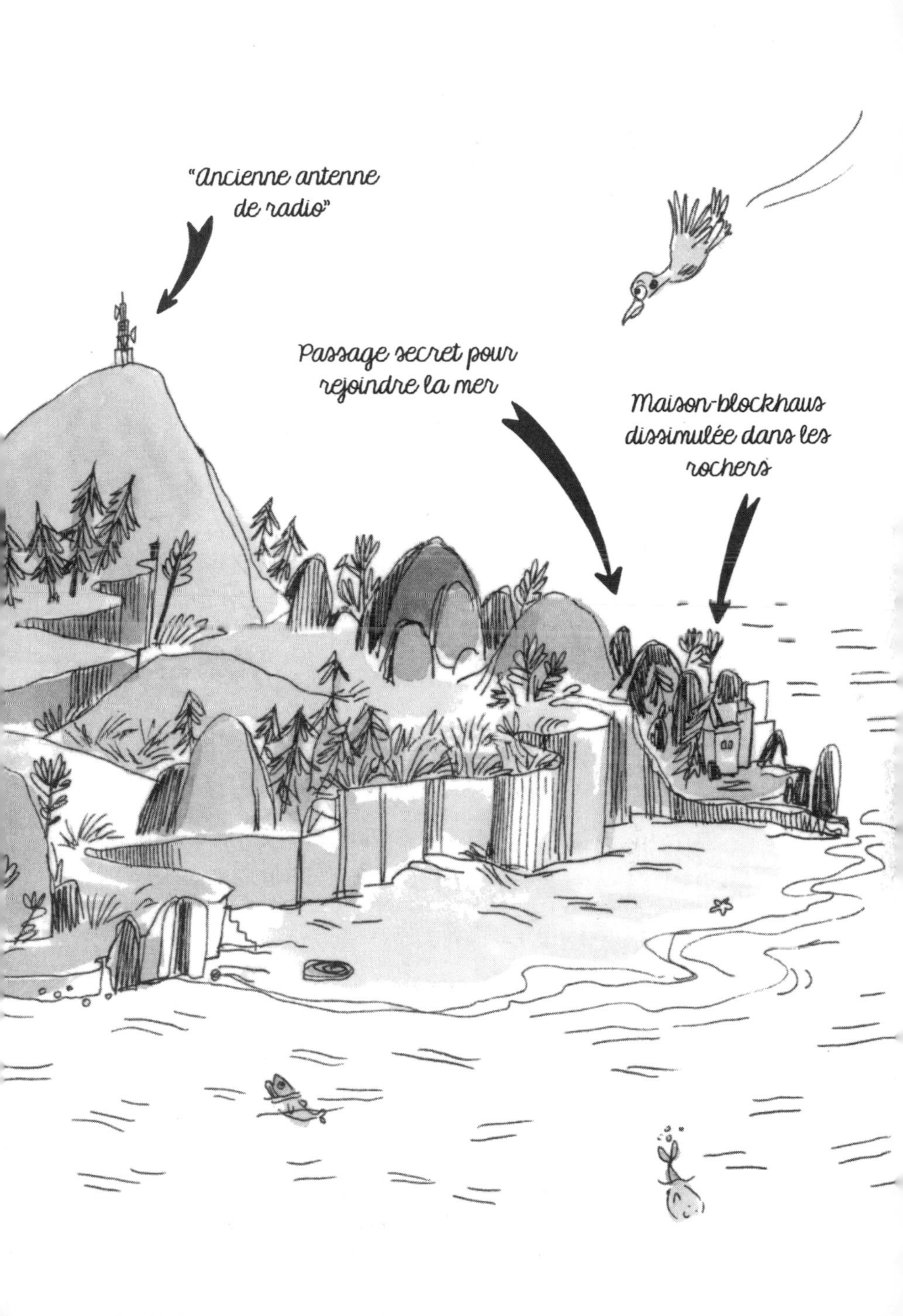
"Ancienne antenne
de radio"
Passage secret pour
rejoindre la mer
Maison-blockhaus
dissimulée dans les
rochers

- Chapitre 6 -
Les Tricéphales

Tho a déployé la carte marine sur la table : le petit port de Larmoric, l'îlot Craouch… Si quinze kilomètres séparent les deux lieux, il en faut à peine plus d'un pour atteindre la côte la plus proche. Mais Monsieur Ganèche sait que les courants sont violents et que le canot qu'ils ont découvert ne permet pas d'effectuer de longs trajets… Et pas à plus de deux, trois personnes maximum.

L'instituteur prend la parole :

– Les amis : pour une raison que nous ignorons, les gendarmes ne sont pas venus. Je n'y comprends rien, mais c'est comme ça. Peut-être que les gens de l'île ont emmené Monsieur Braouézec à la gendarmerie et qu'ils s'y trouvaient lorsque nous avons appelé ?... Je ne sais pas. Ce que je sais, c'est qu'ils vont chercher à faire disparaître les traces de leur trafic car, sans preuve, nous ne pouvons rien contre eux. La question est donc : qu'allons-nous faire ? Et la réponse : attendre. Si les trafiquants reviennent en premier, ils emporteront les animaux. On aura beau alors raconter tout ce qu'on veut, ils auront fait disparaître les preuves.

On ne peut pas laisser faire ça ! s'exclame Fatima.

– Ils ne vont pas les tuer, argumente l'instituteur. Juste les emporter pour les vendre... ce que font toutes les animaleries, je vous signale. Et cela ne vous a jamais gênés !

– Mais là, c'est des espèces protégées, M'sieur ! réplique Céline.

– Je sais, mais nous ne sommes pas la police. Que voulez-vous qu'on fasse ?!

– Vous le savez très bien, intervient Tho d'une voix posée. C'est juste que vous ne **voulez pas** le faire. La solution, elle existe. Elle n'est pas sans risques, c'est tout.

– Vas-y, Tho mon poto ! Accouche ! jappe Zlatan.

– Attendez ! supplie Maïtiti. J'ai trop envie de faire pipi. Qui c'est qui m'accompagne ?

– T'es sérieuse, là ? C'est juste à côté ! lui lance Céline.

– Je… J'ai peur d'y aller toute seule, avoue Maïtiti.

– Aux toilettes ? ironise Zlatan.

Et Lucas d'afficher une mine hilare, tandis que Céline ferme un œil d'un air incrédule.

– Même si on t'accompagne, une fois *dans* les WC, tu seras… toute seûûûle ! vocalise Zlatan en mimant des sortes de fantômes ondulants.

– Ça suffit ! assène Monsieur Ganèche sans bouger un cil. On ne se *moque pas* de quelqu'un qui a peur. Savez-vous ce qu'est la peur ?!… Le plus grand allié de l'homme. Et aussi son pire ennemi. Et savez-vous ce qu'est un homme, un être humain ? *(grand silence, regards croisés…)* Un être humain, c'est un singe juché sur un hérisson, lui-même grimpé sur un lézard.

Zlatan s'esclaffe et… se rendant compte qu'il est le seul, cesse aussitôt.

– Prenez les lampes, ordonne l'instituteur, on passe au labo ! Céline, accompagne Maïtiti aux toilettes, stp. Dès qu'elle a fini, vous allez voir. En route…

Et Monsieur Ganèche se lève, engloutissant au passage le petit rab de gâteau de Zlatan.

– Désolé, camarade. Avant l'heure, c'est pas l'heure ; après l'heure, c'est plus l'heure !

Un moment plus tard, tous se tiennent devant les cages des animaux.

– Je vous fais la version courte, déclare Monsieur Ganèche. Vous avez tous entendu parler de l'évolution des espèces, pas vrai ? Avant d'être la créature la plus évoluée de cette planète, l'homme est passé par des tas d'étapes. Il y a longtemps, nous avons été des primates ; et, encore avant cela, de petits mammifères ; et, encore avant, des reptiles. C'est là que nous avons reçu notre premier cerveau : quand nous étions de gros lézards, il y a 400 millions d'années. C'est pourquoi on l'appelle le *cerveau reptilien*. Ce cerveau possédait une mécanique très simple, qui n'avait qu'une seule fonction : préserver l'espèce ! Et pour y parvenir, ses deux objectifs étaient : (1) la reproduction et (2) la survie. Le rôle de ce premier

cerveau consistait, face à **toute** situation inconnue, à envoyer un message d'alerte : **la peur !** Avec deux solutions possibles : fuir… ou combattre. Regardez !

Monsieur Ganèche s'empare d'un bâton et s'approche d'une cage dans laquelle se trouve un iguane. Lentement, il fait progresser le bâton… et avant même qu'il ne parvienne aux barreaux, l'iguane file se réfugier dans le coin opposé. Se tournant ensuite vers un serpent enroulé sur lui-même, Monsieur Ganèche renouvelle l'opération. Cette fois, au moment où le bâton franchit les barreaux, le serpent se déploie et vient heurter violemment la grille.

– Ooooohhh !! s'écrient les enfants comme un seul homme.

– Vu ? s'enquiert Monsieur Ganèche. Une seule information : la peur. Et deux manières de réagir : la fuite ou le combat.

Tous hochent la tête.

– C'est ce cerveau-là, rudimentaire mais *très efficace*, qui nous a maintenus en vie durant des millions d'années ! Et qui continue de le faire, jour après jour. Car chacun de nous, reprend l'instituteur en les désignant tour à tour, a conservé son cerveau reptilien... lequel, confronté à l'inconnu, nous envoie quelle information ?

– La peur ! s'exclament Céline et Tho.

– Exact. Mais, attention ! Nous ne sommes pas *que* des lézards. Nous avons ensuite été de petits mammifères, des sortes de hérissons dotés d'un cerveau plus développé – le *cortex* –, qui nous a apporté la mémoire et nos premières émotions. Enfin, il y a 4 millions d'années, avec les grands singes, arrive un troisième cerveau : le *néo-cortex*. Nouveaux apports : le langage, le raisonnement logique et la conscience de notre propre existence. Alors seulement, nous sommes devenus des humains ! Conclusion : on a tous trois cerveaux, et chacun a son rôle à jouer. C'est pour cette raison que je ne veux plus jamais, **JAMAIS !** vous voir vous moquer de quelqu'un qui a peur. Avoir peur est normal. C'est la façon dont nous utilisons, *ensuite*, cette peur qui fait de nous des êtres humains.

– Attendez, M'sieur ! l'interrompt Zlatan. Vous m'avez traité de bipèdes parce qu'on a deux jambes, mais, maintenant qu'on a trois cerveaux ; c'est quoi le mot ?

– Je déclare ouverte la foire aux propositions !

– Tricervelles !

Monsieur Ganèche se contente de faire « non » de la tête.

– Tricortex !

– Tritêtes !

– Tricervelliques ?

– Vous brûlez.

– Tri marrants ! s'amuse Lucas.

– Pensez aux mots médicaux ; quand on a mal à la tête…

– La migraine !!

– Plus grave…

– La céphalite… l'encéphalite ! se reprend Céline.

– Exact, d'où…

– Tricéphales ? hasarde Maïtiti (celle par qui, envie de pipi oblige, tout a commencé).

– Yes ! Bravo à tous ! Hé oui, Zlatan : nous sommes tous des **tricéphales** !

– Même moi ? hasarde l'intéressé d'un air angoissé, usant pour la première fois de sa vie d'une moquerie à ses dépens – et récoltant un éclat de rire général qui le gonfle d'aise.

– Même toi, Zlatan, répond un Monsieur Ganèche aux anges en hochant de la tête et des oreilles. Je dirais même : *surtout t…* Céline !!! que se passe-t-il ?!

Sous les yeux de tous, la jeune fille a porté la main à sa poitrine…

– C'est rien, articule-t-elle avec peine.

– Ouvre !! crie Monsieur Ganèche à Zlatan, en lui désignant la porte.

Soutenue d'un côté par Fatima, de l'autre par l'instituteur, Céline claudique vers la partie ouverte de la grotte.

– C'est… bon, finit-elle par dire. Ça me fait ça, des fois : je peux plus respirer. Mais ça va mieux. Ça va mieux, répète-t-elle comme pour s'en convaincre.

– Moi aussi, je l'ai senti, déclare Fatima à la surprise générale ; ça venait des animaux ; ils flippent à mort. J'ai vu…

– Ah, les gonzesses ! lâche Zlatan sans s'attirer un regard.

– Tu as vu quoi exactement, Fatima ? murmure Monsieur Ganèche.

– Rien…

– Si, murmure Céline, c'est ça que j'ai ressenti aussi : comme s'il était trop tard, qu'on avait plus le temps.

– De quoi ? demande Lucas.

– De sauver les animaux, répond Maïtiti en surgissant derrière eux, frissonnante.

– Mais enfin, que voulez-vous qu'on y fasse ? demande Monsieur Ganèche.

Tho s'avance :

– Si on reste, les animaux sont foutus. En revanche, si on utilise le bateau… Lucas, passe la torche, steup !

Lucas se rend soudain compte qu'il tient leur unique torche, éteinte. Il sourit, l'allume et l'envoie d'un jet assuré. Réception à deux mains de Tho qui la pointe, à 10 mètres de là sur le petit quai aménagé. Après avoir fouillé la pénombre, le spot de la lampe accroche un éclat brillant : une coque de bateau. Tho la détaille lentement : 3 mètres de long, 1 m 50 de large, un banc à l'avant et un autre près du petit moteur hors-bord.

– On ne peut pas tous monter, mais à deux, facile. Aller jusqu'à la côte et revenir avec du secours.

– Et les autres ? demande Zlatan qui cherche déjà à savoir dans quelle équipe se placer.

Tho ne répond rien d'abord ; il se contente de faire basculer la torche par-dessus son épaule pour éclairer derrière lui.

– Elle est en quoi, cette porte ?

– Acier ! répond Zlatan dans la seconde.

– Et aux fenêtres, il y a quoi ?

– Des barreaux ! rétorque Zlatan tout aussi vite. À toutes les fenêtres !

– N'oublions pas la trappe, en haut de l'escalier, reprend Tho. Une grille permet de la fermer de l'extérieur. Faut juste qu'on trouve la clé. Moralité ?…

– Personne n'entre chez nous ! s'écrie Lucas, ravi d'avoir compris.

– Personne ne touche aux animaux ! s'enflamme à son tour Maïtiti.

– Reste à déterminer qui part et qui reste, conclut Tho en éteignant la torche. En ce qui me concerne, c'est tout vu.

– Malheureusement, commence Monsieur Ganèche, ce n'est pas si simple. Traverser un bras de mer réputé pour la dangerosité de ses courants, en pleine nuit ! Sans rien connaître à la navigation… Quel laisserait faire ça ?!!

– Un mauvais point, M'sieur !! s'écrie Zlatan, dont le visage s'illumine comme jamais.

– Admettons, mais restons sérieux : je ne peux **ab-so-lu-ment pas** autoriser…

– Monsieur, s'il vous plaît ! le coupe Tho en orientant le spot de la torche sur son propre visage. Désolé, mais… Bien sûr que **vous** ne pouvez pas nous demander de partir sur cette coque de noix. Tout comme **vous** ne pouvez pas partir avec nous en abandonnant les autres. Vous êtes notre instit' ; vous avez la charge de nos vies.

– Voilà ! expire Monsieur Ganèche, soulagé.

– **Maaaiis**… on n'a pas le choix, Monsieur. On n'a *plus* le choix, maintenant qu'on vous a rencontré.

– Qu'est-ce que tu racontes ? Quel rapport ?

– Je vous cite : « *Ce n'est pas un hasard !* », « *Vous vous êtes rencontrés pour réaliser, ensemble, de grandes choses !* », « *Une chance sur des dizaines de milliers !* ».

Les autres rigolent ; mais Tho n'en a pas fini.

– Oh là, les Tricéphales ! Est-ce que face à l'inconnu, on va fuir ?! Est-ce qu'on est des reptiles, les Tricéphales ?!

– **Nooon** !! Répondent les autres en chœur.

– Est-ce qu'on ne serait pas plutôt des mammifères supérieurs, dotés d'un cortex ET d'un néocortex, possédant donc des sentiments et la capacité de réfléchir…

– Attendez, je n'ai jamais dit que…

Mais Tho ne le laisse pas reprendre la parole.

– Est-ce qu'on est de vrais Êtres Humains, vous autres ?! **Est-ce qu'on est des Tricéphales ?!!!**

– **Ouiiiii ! On est des Tricéphales !** On est des Tricéphales !… se mettent à scander les autres en sautant sur place.

Monsieur Ganèche laisse passer l'orage, puis il lève le doigt, et parle posément :

– Tout d'abord : bravo, Tho. Ton discours était magnifique. Tu es doué d'une intelligence brillante et tout ce que tu viens de dire est juste. Mais : **on ne joue pas !** Il s'agit de vraies vies et de vrais dangers ! Est-ce que

10

vous imaginez une seconde ce que signifie traverser un kilomètre de courants, sans expérience de la navigation ?... en pleine nuit ?! Si le moteur tombe en panne ? Si l'embarcation est emportée vers le large ? Si l'un de vous tombe à l'eau et qu'il... qu'il... se noie ! S'il meurt, Tho ?!

Sans un mot, l'instituteur se dégage du petit groupe et s'avance sur la rampe menant au port. Leur tournant le dos, il tend à la nuit un visage d'une pâleur extrême. Ses oreilles frémissent par intermittence. Et ses yeux emplis de larmes luisent dans l'obscurité comme deux gros globes humides.

– **Monsieur** ! lance Tho dans sa direction. Ce n'est pas un hasard si on s'est rencontrés. Et ce n'est pas un hasard si vous *nous* avez rencontrés, si vous êtes né un dimanche... Une chance sur des centaines de milliers, Monsieur ! C'est vous qui nous avez dit qui on était, *vraiment* ! Qu'on avait du talent, au moins *un* talent chacun. Qu'on n'était pas des gros nuls comme c'est inscrit dans nos carnets ! Et que « *ce qui fait de nous des* *êtres humains, ce n'est pas la peur, mais la façon dont on utilise cette peur* ». Tout ça, ce serait un **hasard**, peut-être ?

Il se tourne alors vers les autres et, posant la lampe sur ses genoux, fait des remous dans l'air avec ses mains pour les entraîner à sa suite.

– Mais alors : de quel haz…

– … zard parle-t-on ?!! reprennent tous les autres.

L'instituteur reste encore un moment à distance, dos tourné, puis l'on voit ses bras remonter vers sa face cachée, passer sur le visage, suivre la ligne du front, palper le crâne. Une fois, deux… Il se retourne.

– En pleine nuit. Vous… *Vous ne savez pas ce que vous me demandez.*

– Quelle nuit ?! le reprend Tho. C'est oublier qu'on a Catwoman avec nous !

L'instituteur hausse les épaules.

– Ah, vous doutez maintenant ? Fatima : tu lis quoi, comme marque, sur le capot du moteur ?

– Hein ?! T'es gentil, mais il est où ton bat… Ah ! « *Yem…* », non : « *Yam…* », « *Yamaha ?!* », c'est ça ?…

Tho envoie le faisceau de sa lampe sur le petit moteur, à dix mètres de là. Sur le capot, la marque japonaise apparaît à tous.

– On a de grandes choses à faire ensemble, Monsieur, vous avez raison. Ça commence juste plus tôt que vous l'aviez prévu. Je me trompe ?

– Je… Retournez à l'intérieur… J'arrive. Céline…

– Le feu, je sais. Venez, les copains.

- Chapitre 7 -
Sans foi ni loi

Dans un hangar discret du petit port de Larmoric, une femme d'une quarantaine d'années, élégante, visage long et sévère, cheveux noirs ramassés en un petit chignon discret, deux yeux bleus de titane éclatant de la même froideur que ce métal rare, marche et parle, parle et marche, faisant claquer ses talons sur le ciment nu.

– Vous avez commis des erreurs… mais vous avez également fait preuve d'un certain sang-froid. Cela me rassure, en un sens. Le coup du gendarme standardiste, c'était osé, Francis. Et vous avez au moins pensé à couper l'alimentation pour les isoler. Laisser Braouézec seul avec les gendarmes, en revanche, a été une erreur **GROSSIÈRE**. Il fallait vous séparer ! Par miracle, l'adjoint au maire était absent ; j'ai pu rattraper Braouézec et le… neutraliser. Nous le relâcherons cette nuit, ivre mort. Ha ha !

Luis l'ahuri et Francis le costaud écoutent religieusement. Vicia Mutantis s'est tue mais continue de marcher, faisant claquer ses talons comme pour mieux réfléchir.

– Avec ce que les gosses vont raconter, on peut tirer une croix sur la cache. Pour quelques années au moins. La priorité, c'est de faire le ménage : je ne veux plus un animal, plus une cage ! Vous me lestez tout ça avec des parpaings et vous les balancez en haute mer ; les crabes feront le reste. Pour la pièce, passez tout à l'eau de Javel et entassez 50 kg de poisson pourri dans un coin. Luis, tu t'en charges avec Régis qui t'attendra au port, OK ?

– Du poisson… *pourri ?*

– Pour masquer les odeurs. En réfléchissant trois secondes, tu serais arrivé à la même conclusion sans avoir à demander, Luis. Essaie un jour pour voir…

– Oui, Madame.

– Pendant ce temps, Francis, tu retournes chez les gendarmes. Je veux que tu aies l'air inquiet : ça t'embête que Braouézec ait disparu, tu te demandes à voix haute pourquoi il a inventé un truc pareil… Cette histoire de gamins, quand même, c'est étrange !… N'en fais pas trop non plus ; j'ai appelé le camp de vacances pour annoncer qu'ils avaient un problème et revenaient dormir ici, donc on devrait être tranquilles de ce côté. Ensuite, on s'occupera de l'évacuation des gosses, qui sont six, d'après Braouézec, plus le prof.

– Comment vous comptez-vous y prendre ?

– J'ai ma petite idée. Je veux seulement que d'ici **DEUX HEURES**, le terrain soit dégagé pour l'équipe d'évacuation. D'ici deux heures, l'îlot Craouch sera redevenu parfaitement fréquentable. Et si les gendarmes ne se décident pas tout seuls à y faire un tour, on les invitera à passer boire un coup là-bas. Des questions ?...

– Comment on communique entre nous ?

– Satellite. Il faut qu'on puisse échanger à tout moment. Luis ?

– Où c'est que ça s'achète, du poisson pourri ?

– J'ai des pistes. Francis ?

– Quelle attitude, par rapport aux gosses – et à l'instit' – quand on va débarquer pour faire le ménage ?

– Question intéressante. Approchez...

Le problème dans notre histoire, c'est que cette conversation, Vicia Mutantis et ses hommes l'ont eue… ***il y a une heure !*** Au moment précis où Céline ressentait son malaise. L'équipe des nettoyeurs s'est donc, *déjà*, mise en route…

- Chapitre 8 -
Sans peur et sans reproche

– *La carte n'est pas le terrain !* maugrée Monsieur Ganèche. Vous en avez ici un bel exemple : sur le papier, tout paraît facile, mais dans la réalité…

Sur la plage, en effet, les yeux au ras de l'eau, les choses ne semblent plus aussi simples que depuis le blockhaus. On ne voit plus la côte et les vagues sont mille fois plus imposantes ! Il y a bien une balise lumineuse à mi-chemin, dans la bonne direction, mais une fois en mer, dans le noir, comment savoir où est l'île et où, la côte ?

– Il faudrait une seconde lumière, pour créer un alignement avec la balise et donner la direction à suivre, suggère Tho.

– Très juste, halète un Ganèche essoufflé d'avoir poussé le fauteuil sur le sable. C'est le principe même de la navigation, les alignements. Une torche ou une lampe qu'on maintiendrait là-haut, sur les rochers.

– Vous nous expliquez ? intervient Céline, en souriant d'un air doux, pour une fois.

– Sur la carte, on a vu que cette balise, tout là-bas, se trouve exactement dans la partie de la côte où la route est accessible. C'est donc là qu'il faut atterrir pour gagner Larmoric.

– À pied ?

– Comme on pourra, mais le plus vite possible, appuie Monsieur Ganèche. Je reprends : d'ici, tout paraît simple : on vise la balise et ensuite on file droit vers la côte. **Maaiiis** une fois que Fatima et Zlatan auront dépassé la balise ?… plus de repère ! Toute la côte s'étalera devant eux comme une grande tache noire, s'ils la voient !! En revanche, si on allume une lampe là-haut, il suffira à Zlatan de rester dans l'axe des deux lumières pour aborder exactement au bon endroit. C'est pourquoi il nous faut quelqu'un qui maintiendra *toujours* la lampe braquée vers eux, quoi qu'il arrive. Mais qui ?…

– Lucas !! s'écrie Céline. Comme ça, on saura si ce que vous avez dit est vrai.

– On saura si quoi est vrai ? demande Lucas en braquant la torche vers la jeune fille.

– Cela peut durer *très* longtemps, Lucas ; c'est ça que Céline veut dire, explique Monsieur Ganèche. Il nous faut donc quelqu'un de résistant. Quelqu'un *qui ne lâchera pas*. Toi.

– Pourquoi je lâcherai pas ?…, répond Lucas sans comprendre pourquoi tous les autres se sont mis à glousser.

– Tu verras, se contente de répondre l'instituteur. Je ne suis pas inquiet.

Monsieur Ganèche sourit. Il regarde les enfants évoluer devant lui en ombres chinoises sur les dernières bribes de jour qui s'effilochent à l'horizon. Il fait doux et l'air marin est délicieusement chargé de senteurs fécondes…

Bon sang, il est fou ! Fou de les avoir écoutés, fou d'avoir accepté leur plan – qui était le sien, naturellement, sauf que jamais il n'aurait osé leur en parler. Il cherchait juste une solution, par principe. Et là, il va les laisser filer, sur la mer, de nuit… Bien sûr, ils savent nager et il y a les gilets de sauvetage, mais tout le reste : les mille inconnus de l'existence ! Il a toujours été d'accord avec John Lennon : « *La vie ? C'est ce qui arrive quand on a prévu autre chose* ». Mais qu'est-ce qui va arriver, cette fois ?

– **Zlatan !!** Tu recommences, je te tue !!

Fatima – il reconnaît la silhouette – cherche quelque chose à ramasser sur le sable, le paquet d'algues le plus proche. Elle fait mains pleines et se lance à la poursuite du garçon.

– Céline, à l'aide !

Monsieur Ganèche reste comme ça quelques secondes à regarder danser leurs silhouettes en ombres chinoises sur l'écran du ciel, puis il se met à courir derrière les autres en poussant le fauteuil de Tho.

* * *

– Bon : prenez la torche. Et ne la faites pas tomber à l'eau.

– T'façon, j'ai ma torche sur pattes : Catwoman !

Dès la première fois qu'elle l'a entendu, Fatima a aimé ce surnom. Elle ne ressemble pas vraiment à l'héroïne des comics, mais le côté romanesque lui a plu. Être… une super-héroïne ! Et puis, elle adore les chats ; elle se sent proche d'eux, de leur distanciation distinguée et rêveuse du monde…

– Certes, mais il faut que tu puisses regarder la carte, toi aussi.

– Céline, tu as vérifié leurs gilets ?

– Gilets vérifiés !

– Zlatan : si le moteur cale ?

– Arrivée d'essence, bouton on/off, capuchon de la bougie... j'essaie de redémarrer et si ça démarre vraiment pas, les rames et la torche : sauve qui peut !

– Fatima : carte et téléphone portable. Vous essayez régulièrement d'appeler, OK ? On n'oublie rien ?...

– Si les gendarmes les croient pas ? lance Céline.

– Comment cela ? réplique Monsieur Ganèche.

– Deux gamins inconnus, qui débarquent en pleine nuit et prétendent arriver d'une île où des animaux sauvages sont enfermés... Genre : qu'est-ce que vous avez fumé, les mioches ?!

– Les gendarmes doivent savoir qu'il y a une classe de mer dans la région, Céline, et qu'un des groupes n'est pas arrivé à destination.

– Ouaiiis, c'est pour ça qu'ils sont là, vous avez raison. Ils ont accouru tout de suite ! le charrie Céline. Fati, passe le phone, steup.

Fatima le lui tend. Au pas de course, Céline remonte la rampe conduisant à la grotte et disparaît à l'intérieur. Un flash illumine le plafond de la pièce, puis Céline redescend, tend le téléphone à sa camarade. Sans rien dire, Monsieur Ganèche applaudit Céline qui se fend d'une petite révérence.

– Une preuve visuelle… Bien joué. Il est quelle heure ?

– 22 h 15… ça urge !

– Et la devise ?! On n'a pas de devise ! s'insurge Maïtiti, qui a installé le meerkat contre son ventre, dans son sweat resserré par une ceinture.

– Maïtiti a raison, les amis : c'est la première fois que les Tricéphales vont être séparés ; il leur faut une devise qui les maintiendra ensemble. Que penseriez-vous de : « *J'ai peur, mais j'avance !* ».

Tous hochent la tête.

– Moi, j'ai pas peur, mais j'accepte… pour le collectif ! déclare Zlatan, pas peu fier de sa trouvaille.

– Pas mal, sourit l'instituteur en le pointant du doigt. Prêts, vous deux ?

– Prête ! répond Fatima.

– Moteur ! s'écrie Zlatan.

Et il tire sur la corde du petit hors-bord qui part au quart de tour, tiède encore. Lucas balance l'amarre et Monsieur Ganèche pousse le canot du pied pour l'éloigner du quai.

– Tout doux sur la poignée, Zlatan ! rappelle Ganèche. C'est sensible et ça fonctionne par bonds. Toujours assis, compris ?! Tu fais des essais dès que tu es en mer libre : tu pousses la barre à gauche, le bateau tourne à droite ! Tu pousses la barre à droite, le bateau tourne à gauche. Tu fais des *essais*, Zlatan !

– Compris, M'sieur, vous inquiétez pas.

– Tout doux pour sortir ! Tu ne maîtrises pas ; pas encore. Sinon, vous allez vous retourner avant d'avoir quitté la crique.

Et, de fait, en dépit de sa faible vitesse, le bateau s'en va heurter les rochers un peu plus loin avec un CLANG effrayant.

Sous le regard angoissé de tous, Zlatan doit attendre que Fatima ait repoussé le nez de l'esquif vers l'eau libre avant de remettre les gaz.

– C'est rien ! Me suis gourré. Mais, j'vais piger, no sushi ! Làààà…

À vitesse d'escargot, tirant un coup sur la gauche, un coup sur la droite, le petit canot se dirige vers l'étroit goulet qui relie la crique à la mer libre. Recroquevillé sur son banc, Zlatan engage l'esquif entre les deux murs de rochers contre lesquels, de plus en plus fort, viennent battre les vagues.

Comme il a peur, soudain.

- Chapitre 9 -
Dans la tourmente

Même face au Boss de son jeu préféré, il n'a jamais été concentré à ce point. Au moindre relâchement, le canot part de côté ! Alors l'adrénaline fuse et Zlatan oublie tout, pousse la barre quand il faut tirer, tire quand il faut pousser… Et puis, ce noir total ! À certains moments, il perd de vue le lumignon rouge et bascule aussitôt au bord de la panique. Le pire, c'est que la balise n'a pas l'air de s'approcher. « *Ce serait les courants qui nous tirent sur le côté ? Faut que j'accélère* ».

Fatima se tait ; elle s'est promis de ne rien dire.

– J'accélère, on n'avance pas !

Il tourne la poignée progressivement, finit par trouver une vitesse intermédiaire qui permet au bateau de passer la houle sans taper dessus : *blam ! blam !* Il relâche un peu de tension, se sent mieux pour la première fois depuis le début ; son cœur ralentit, ses muscles s'assouplissent.

– On reste à cette vitesse, il déclare. On gagne du terrain ou pas ?

– On gagne, répond Fatima sans se retourner. Je distingue l'espèce de colonne de la balise, maintenant. Mais c'est bizarre, y a une autre lumière, à côté…

– Une autre lumière ? lâche distraitement Zlatan.

Il lève le nez, vers l'arrière. Se met à chercher et, là, il la voit : la lampe de Lucas, qui clignote… Pourquoi ?!

– C'EST UN BATEAU ! hurle tout à coup Fatima. Derrière la balise !!

– C'est qui ?!

– J'en sais rien. Et si c'est… eux ?!

– Hmmm, c'est pour ça que Lucas nous fait des signes, réalise Zlatan à voix haute.

– Quels signes ?

– Il éteint et il rallume.

– Qu'est-ce qu'on fait ?

– On s'tire !

Zlatan pousse la barre, infléchissant sa trajectoire vers la droite.

– Non !! Tu fonces pile sur eux, là !

– OK. Gaffe, je vais tourner de l'autre côt… NOOON !!

Il a décéléré d'un coup et se trouve attiré vers l'avant. Le bateau ralentit aussitôt, jusqu'à s'immobiliser, ballotté par la houle.

– Qu'est-ce qui s'passe, Zlatan ?!

– L'écume derrière eux ! Si j'ai vu la leur… ils peuvent voir la nôtre ! Ils changent de cap ou pas ?!

– Je sais pas ; ils…

– Baisse-toi ! Baisse-toi !

* * *

– Notre chance, explique Monsieur Ganèche, est d'être dans une vraie forteresse ! On va fermer la porte métallique à double tour et laisser la clé dedans. Le seul point faible, c'est le panneau en bois. Il faut absolument qu'on trouve la clé pour cadenasser la grille métallique dessus. On va tous la chercher. Sauf Lucas, bien sûr : toi, tu restes sur les rochers et tu les éclaires. Tu les éclaires maintenant, tu les éclaires dans dix minutes, tu les éclaires dans une heure s'il le faut ; d'accord ?

– Mais si les autres ils viennent jusqu'ici, je fais quoi ?

– Tu éteins et tu te planques.

– Et s'ils me trouvent ? S'ils m'attrapent ?

– Ils ne doivent pas t'attraper, Lucas.

– Ils me feront du mal ?

– Ils… Non ; mais ils menaceront de t'en faire et moi, je serai obligé de leur ouvrir.

– Pas de prisonnier, alors.

– Non – mais pas de blessé non plus : si jamais tu es coincé, tu te rends. En essayant de laisser la lampe posée quelque part. Faut qu'on y aille ; courage !

Lucas regarde ses camarades et l'instituteur s'éloigner sur l'étroit chemin menant à la trappe, au bunker, et à la sécurité. Au moment de prendre le virage entre les rochers qui dissimule la trappe, Ganèche se retourne vers lui.

– *J'ai peur, mais…*

– *J'avance !* répond Lucas, sans vraiment y croire.

– Lucas ?

– Oui ? s'empresse le garçon dans l'espoir que l'instituteur, après réflexion, lui demande de les rejoindre.

– Ce n'est pas par hasard si on t'a choisi toi. Cette lumière, c'est le flambeau de l'espoir. Tu ne la lâches pas, tu m'entends ?!

– OK !! répond Lucas d'une voix aussi forte qu'il le peut.

Puis la haute silhouette de Monsieur Ganèche est mangée par le virage et il se retrouve seul.

Et juste à cet instant, le bateau inconnu décide de braquer un puissant projecteur dans sa direction. Un

faisceau de lumière qui lèche la côte, les rochers, s'approche et…

Vite, se baisser ! Juste à temps. Enfin, il a attendu un peu avant de réagir, mais pas trop quand même. Si ?…

* * *

Durant une ou deux minutes, en entendant de plus en plus nettement le clac-clac-clac du gros diesel, Zlatan a pensé qu'on les avait vus. Et puis non, c'est redescendu en volume. Une minute après, plus rien. Mais plus de lumière sur l'île non plus. Elle est où d'abord, l'île ?…

– Tu vois l'île ? demande Zlatan.

– Non… La balise non plus ! Je l'ai perdue !

Frissonnante, Fatima se chuchote à elle-même de ne pas paniquer. La carte ! Elle la sort et l'étale devant elle. Le problème, c'est qu'elle n'y comprend rien, ne trouve même plus où se situe l'île. Elle la replie, se remet à scruter la mer, pense à une vieille chanson qu'elle adore : « *Dans la nuit noire, tôt ou tard, va briller un espoir* ». Une bouffée d'air chahute sa poitrine. Elle se redresse, chasse la peur qui l'envahit en respirant fort, trois fois.

– Je me mets debout, fais gaffe ! crie-t-elle à son camarade.

– Pourquoi ?

Il faut qu'elle trouve. Elle cherche, partout : devant, derrière... sans résultat. Là-bas, peut-être, cette forme sombre au fond... Une minuscule lumière clignote, au bout. « *Toutes les deux secondes* », a dit Monsieur Ganèche. Fatima compte dans sa tête : un... deux : lumière. Un... deux : lumière. Ce serait ça ?

Une bouffée de joie pure. Un soulagement infini. C'est idiot, mais elle a l'impression qu'elle a rarement été aussi contente d'elle qu'à cette seconde ! Elle se rassied, redéplie la carte, retrouve la pointe et de là, l'île, la balise. Si la pointe est là, cela veut dire que la balise doit se trouver...

Oui ! la balise !

– Tourne vers la gauche !

– Tu sais où on est ?

– Encore… Encore… Stop ! Tu crois qu'on s'est suffisamment approchés de la côte ?

– Pour quoi faire ?

– Essayer d'appeler les gendarmes.

– J'avais zappé !! Appelle, nom d'un rat sans pattes, appelle !

- Chapitre 10 -
Seuls au monde

Ça fait quoi ? Un quart d'heure qu'ils l'ont laissé, et il n'en peut déjà plus. Il a tout essayé : changer de main, poignée entre les dents, lampe sur la tête ; rien à faire… Le seul moyen efficace consiste à tenir la lampe à bout de bras, au-dessus de la tête. Résultat : des crampes impossibles – mais dès qu'il baisse le bras pour se reposer, des remords plus terribles encore.

Alors à chaque fois, il relève le bras et sent comme deux mâchoires se refermer dessus. Et il recommence à compter jusqu'à 100 avant de changer de bras. Un, deux, trois…

Une explosion !! « *L'entrée ! Ils ont trouvé la porte fermée et ça les a rendus fous* ».

Puis le silence revient et du coup, Lucas panique. Ils vont essayer de passer par le panneau de bois et donc… approcher de lui !

S'ils avaient aperçu son fanal, tout à l'heure ?!… Une sueur glacée lui coule entre les omoplates. Il est à deux doigts d'éteindre quand il entend des coups sourds : le panneau. Il les entend cogner durant deux ou trois minutes, puis plus rien. Peu de temps après, son cauchemar se réalise : deux silhouettes émergent du virage ; le rond de leur puissante torche sautille comme un chiot et court sur le sentier ; s'égare un coup à gauche, un coup à droite, revient et… lui saute à la gorge, l'aveuglant.

Fait, comme un rat ! Sans pattes.

* * *

Bllbb !

Ça fait peu de bruit finalement, un téléphone portable qui tombe à la mer.

– Zlatan !! C'est pas vrai ?!

– …

– Comment t'as fait ?!

– Y a eu une vague ! Le téléphone a tapé sur le rebord. J'y peux rien.

– « *J'y peux rien* » !!! Je rêve. Si je t'ai pas demandé cinq fois de me laisser téléphoner ! T'as rien eu le temps de dire, en plus.

– Bien sûr que si ! J'ai dit : « *C'est nous* ».

– Génial ! Et en plus, y avait la photo des animaux sur le mobile. Jamais ils nous croiront sans la photo. Hé ! Tu tiens le cap, là ?!… La lampe de Lucas a encore disparu !

* * *

En voyant les deux intrus approcher d'un pas tranquille, Lucas se dit qu'il s'est raconté des histoires ; ces deux types d'une trentaine d'années – Luis et son compère Régis –, rondouillards et qui semblent danser d'une jambe sur l'autre, sont peut-être sympas. Il y a bien cette petite phrase qui a roulé jusqu'à lui, renvoyée par les rochers ; genre : « *Etien !* », comme Étienne sans le *e*, enfin, bon, il se comprend. « *Létien* », peut-être ou…

… « *On les tient !!!* ».

Oui ; c'est ça qu'il a entendu. Et si les deux cocos sont si cools, c'est pour ne pas l'effrayer.

Qu'est-ce qu'il peut faire ? Même s'il voulait bouger, il ne pourrait pas : paralysé ; trop peur. Et les teigneux qui sont à dix mètres, maintenant. Fuir ? Où ? Les rochers donnent sur la mer, sauf la paroi qui grimpe derrière lui… hyper dangereux.

Cinq mètres. Ils vont arriver et le cueillir. Et lui, il aura foiré ! Escalader ? Faudrait déjà que ses jambes puissent bouger. Ça y est, ils sont là. Il a lâché, alors ?…

– RECULEZ !!!

Il a hurlé, pas lâché.

Une claque au silence si forte que Luis, qui tendait sa grosse pogne vers lui, a fait un bond en arrière. Lucas a vu les deux gars se percuter, tituber, et il a compris que c'était sa chance. Bourré d'adrénaline par son cri de guerre, il bondit sur le côté et, trois secondes plus tard, le voilà deux mètres plus loin ; au pied de l'énorme rocher qu'il escalade, glacé par la hantise de sentir une main l'agripper au col et le tirer en arrière…

Il mord la hanse métallique de la lampe à en avoir mal aux dents et avance une main, cherche une prise, avance un pied, cherche un replat, une arête, pose le pied, tend l'autre main… Ça ne glisse pas ; soulagement ! Derrière, il entend les grognements des deux, ne se retourne pas. Il s'est élevé de deux mètres, estime-t-il.

Allez, encore un de plus pour être hors de portée. Aïe !! Coupure. Un doigt… *Ouch !* Cette fois, c'est le genou qui a cogné. La douleur !! Il ne s'y attarde pas, serre les doigts sur les arêtes de granit, écrase la tremblote qui l'agite, se hisse… gagne 50 cm. Sa jambe tâtonne, trouve un replat ; encore un demi-mètre de gagné. Il se colle au rocher, écoute, relâche une main. Se retourne doucement…

Les deux se trouvent **cinq mètres plus bas !!** À la base du rocher, ouvrant de grands yeux étonnés, Régis tout autant que Luis. Comme il a grimpé !! Incroyable.

Il lâche une main, empoigne la lampe. Bonheur infini pour ses mâchoires. Les deux hommes fixent la paroi verticale puis échangent un regard indécis. Ni l'un ni l'autre ne possède la silhouette idéale pour faire de l'escalade. Après avoir jeté à Lucas un dernier regard toujours aussi surpris, Luis hausse les épaules puis… fait demi-tour, bientôt suivi par son compère. Une ruse ?

N'importe : grimper, éclairer Zlatima !

* * *

– Te rabats pas, Zlatan !

– Y a plus la lampe… comment tu veux que je fasse ?

* * *

Les premiers coups portés sur le battant semblent n'avoir aucun effet. À chaque fois que le tranchant de la barre à mine s'abat sur la trappe, les fibres du bois malmenées reprennent leur place exacte. Et puis, une fente finit par apparaître ; aussitôt Luis s'acharne dessus, une fois, deux, trois... dix, avant de porter des coups en biais, parvenant à faire sauter un morceau de bois gros comme un pouce. Satisfaction.

* * *

C'est une sacrée coupure. Et avec le sel, ça pique à mort. Lucas secoue la lampe-tempête près de son oreille ; elle lui répond « gloup-gloup ». Il la repose sur sa tête, la tient d'une seule main, frissonnant de tout son corps. Il n'a qu'une envie : s'allonger et fermer les yeux. Pourquoi pas ? S'il posait la lampe sur son ventre ? Ou sur ses genoux repliés ?...

Il réalise soudain où il est et ce qu'il fait : il est sur une île paumée et vient d'échapper à des trafiquants d'animaux. Le déliiiire !!! Hier, à la même heure, il zonait chez lui, devant son ordi… Et les deux sales types, en bas, qui continuent à cogner comme des sourds. Pourvu que le panneau résiste. En tout cas, il leur a échappé ! Et il éclaire toujours. Il a pas lâché ! IL A PAS LÂCHÉ !

Bonus n°2

Recette du (vrai) Kouign-amann

* 125 g de farine, de beurre demi-sel ramolli et de sucre
* 6 g de levure
* 10 cl d'eau
* 1 pincée de sel et de sucre

Dans un saladier, verser la farine et le sel, puis la levure délayée dans l'eau. Mélanger le tout avec les doigts pour obtenir une pâte à pain (si la pâte colle, ajouter un peu de farine). Couvrir d'un torchon et laisser reposer 1 h.

Une fois la pâte gonflée, la malaxer et l'étaler au rouleau pour former un disque de 25 cm. Couper le beurre en trois morceaux égaux, prendre le premier 1/3 et le couper en petits morceaux sur la pâte. Répartir aussi 1/3 du sucre puis rabattre un côté de la pâte vers le centre. En pivotant, faire de même trois fois pour fermer la pâte.

Recommencer (doucement) l'opération deux fois pour utiliser tout le beurre et le sucre puis, reformer une boule et l'étaler (tout doucement pour éviter les fuites) afin d'obtenir un disque à peu près rond. Étaler dessus un peu de beurre ramolli pour donner une couleur dorée à la cuisson. Mettre dans un plat rond sur du papier cuisson et laisser reposer pendant 3 h.

Faire cuire 25 minutes dans un four préchauffé à 180°C. On a l'impression que la pâte n'est pas assez cuite, mais si ! Ce sera sec, sinon. Le kouign-amann doit être croustillant à l'extérieur et fondant à l'intérieur.

- Chapitre 11 -
Objectif gendarmes !

Tête de mule de Zlatan ! Total entêté ! Dix fois, elle lui a dit que ce n'était pas la bonne plage, qu'il fallait encore avancer ; mais non, monsieur était sûr, elle allait voir… Elle a vu. Et lui aussi : une petite crique complètement isolée par de hautes falaises. Mais elle n'en a pas rajouté, elle l'a laissé constater par lui-même.

Fatima connaît bien cette mauvaise foi masculine : elle a la même à la maison, multipliée par 5. Après avoir longé la plage sur toute sa longueur, Zlatan se voit bien obligé de pointer le nez de leur canot vers le large.

– On va voir la plage suivante. Et on atterrit dès qu'on peut. On a traversé ; c'est ça l'essentiel. On se débrouillera pour rejoindre la route.

Fatima laisse passer une poignée de secondes, le temps d'apaiser sa voix.

– L'idéal serait qu'on repère la lampe de Lucas. L'alignage, là ; l'endroit où la route passe près de la côte. Va falloir drôlement marcher, sinon.

– Leur alignement ? Pffff ! Je préfère marcher que risquer de me noyer toutes les deux minutes. En plus, on la voit plus depuis longtemps, la lampe de Lucas. Il a lâché et il est rentré au chaud !

Fatima ferme les yeux. Et ça continue. Depuis que Zlatan a laissé tomber le téléphone à l'eau, il est impossible. Il faut voir comment il navigue, d'ailleurs : comme un chauffard sur la route !! Et dire qu'elle ne le lui a pas reproché plus de trente secondes, le coup du téléphone ! Ah ! les mecs, ils...

– La lumière ! Là-bas ! La lumière de Lucas.

– Il a pris son temps, pour pisser.

– Peut-être qu'il a eu un problème…

– Quel problème ? Il a juste à tenir une lampe ! Elle est cool, sa mission *à lui* !

Fatima hausse les épaules. L'important est qu'ils se trouvent bel et bien dans l'alignement. Elle peut donc laisser Zlatan se rabattre vers la côte. Rien que de sentir de chaque côté la présence de deux pointes rocheuses délimitant une crique, elle se sent mieux. Elle commence d'ailleurs à distinguer des formes sur la plage : un gros rocher ; une souche, de longues lignes sombres qui doivent être des tas d'algues rejetées par la mer… La plage, enfin. Ils y sont arrivés !

Deux minutes plus tard, ils ont attaché le bateau à la grosse souche. Quatre minutes plus tard, ils sont sur une sorte de parking sauvage d'où part un chemin sablonneux qui file vers l'intérieur des terres. Six minutes et ils trouvent la route.

– À gauche ! lance Zlatan. Le bled est à 8 kilomètres.

– Ça fait combien de temps, à pied ?

– Chais pas. Mais plus vite on part…

– Zlatan ? T'as une sœur, toi, hein ?

– Dans quel film ?

– T'en as pas ?

– Dans quel film tu me demandes si j'ai une sœur ? Je te demande si t'as un frère, moi ?

– J'en ai trois.

– Et je m'en tape. Qu'est-ce ça peut te faire de savoir si j'ai une sœur ?

– Pour savoir.

– Savoir quoi ?

Ah là là... Pourquoi les garçons n'aiment-ils pas discuter ?... Le temps passe tellement plus vite quand on parle. Surtout lorsqu'on doit marcher de nuit dans une campagne déserte.

Oh ! une lumière !!

– Des phares ; en face. Une voiture !

– Dans le mauvais sens, évidemment.

Décrivant un large cercle dans leur direction, un rond de lumière s'avance vers eux.

– On fait quoi ? interroge Fatima.

– On tend le pouce.

Sur le côté de la route, les deux enfants font face à une longue ligne droite. Rien ne se passe durant un long moment. Puis Fatima distingue deux silhouettes à bord. Deux adultes ! Ouf ! Deux adultes n'auront pas peur de s'arrêter pour prendre deux enfants. Mais est-ce qu'ils ne devraient pas ralentir, déjà ?…

– Et s'ils s'arrêtent pas ?

– Pourquoi ils s'arrêteraient pas ?…

Dès que la voiture est assez proche pour que Fatima distingue un conducteur d'une cinquantaine d'années, elle se met à sourire. À côté, une femme du même âge. Fatima les voit de mieux en mieux et son sourire s'élargit… jusqu'à ce que…

VIIOUFFF ! La voiture est passée. Sans même ralentir. L'homme a détourné les yeux dès qu'il a croisé le regard de Fatima. Pas la femme : elle l'a fixée tout du long, la mine arrogante.

– Viens Zlatan, on repart.

Elle n'avait jamais tant marché. Elle a déjà mal aux jambes après quelques centaines de mètres, alors, huit kilomètres ! On n'y voit rien, en plus ; ou plutôt, il n'y a rien à voir. De chaque côté de la route, une haute haie bouche la vue. Et Zlatan qui trace comme un zlatanien...

– Voiture, Z !

– Quel sens ?

– Le mauvais, encore. On fait quoi ?...

– Toi, garde le pouce levé, répond le garçon.

Il se plante au milieu de la route en écartant les bras. Le problème, c'est que cette fois, Fatima et lui se trouvent à la sortie d'un virage !

– Ils auront le temps de freiner ?

– C'est ce qu'on va voir... Mate !

La voiture finit par déboucher du virage. Une seule personne à bord, note Fatima. Soudain, un halo rouge éclaire la route derrière le véhicule : il freine. Et fort ! La forme à l'intérieur se ramasse vers l'avant au-dessus du volant…

… puis se fige et les observe. Fatima se met à agiter les bras. Deux ou trois secondes comme ça, et le halo rouge s'évapore ; la voiture se remet à avancer, tout doucement, comblant peu à peu l'espace qui les sépare.

Zlatan s'avance vers la vitre de la conductrice. C'est une femme, pas vieille mais presque.

– Z'êtes bien jeunes pour faire du stop dans les virages. Y a personne avec vous ?… Enfin. Montez. Vite !

Ça ne sent rien de particulier dans la voiture : pas le neuf, pas le vieux, pas le chien et pas les enfants ; ça ne sent rien du tout, s'étonne Fatima – qui s'étonne plus encore de l'incroyable silence de la femme. Pas de *« Pourquoi ? »* pas de *« Qui êtes-vous ? »*. Elle se tourne vers Zlatan et hausse les sourcils de façon interrogative.

– Madame ? ose enfin Zlatan.

– Suzanne !

– Suzanne ?...

– Je m'appelle Suzanne. Tu la connais depuis longtemps, la jeune fille noire qui t'accompagne ?

– Fatima ? s'étonne Zlatan. Ben... depuis hier.

– J'ai eu un peu peur en vous voyant.

– C'est normal, ça ! réplique Zlatan. C'est l'inconnu. Quand vous m'avez vu sur la route, votre cerveau lézardien a crié au secours. Fuir ou attaquer l'ennemi, vous vous êtes demandé ?

– Zlatan ! Euh, on va à la gendarmerie, Madame.

– Qu'est-ce que vous leur voulez aux gendarmes, à cette heure ?

– Vous me croirez pas.

– J'sais distinguer un gosse d'un korrigan ; alors j'saurai bien reconnaître la vérité si elle sort de ta bouche, petit diable.

– On est six, plus l'instit', et notre bateau est tombé en panne. On s'est arrêtés sur l'île interdite où le marin ivre nous a abandonnés. On a trouvé leur maison ; enfin : *j'ai* trouvé leur maison et on a découvert que c'étaient des trafiquants d'animaux. Ils ont coupé le courant pour pas qu'on les dénonce. Alors, on a pris un canot à moteur et on a traversé jusqu'à la côte. Fatima y voit la nuit, heureusement. Mais j'ai bien assuré aussi. J'avais jamais conduit de canot avant. Voilà.

– Les gens ne te croient pas, tu dis ?...

– Jamais ! Je sais pas pourquoi.

– Peut-être que tu les prends pour des nouilles. Un conseil : prépare une autre version pour les gendarmes. Tu vas avoir du mal, sinon.

– Vous croyez ? s'inquiète Zlatan. Pourquoi ?...

– Parce qu'un instituteur ne laisserait jamais deux enfants partir seuls sur un bateau en pleine nuit ! *Entre autres* détails qui clochent...

– Mais c'est la vérité !

– Change d'alibi, je te dis. Et fais vite, regarde : Larmoric : 2 kilomètres !

* * *

Face aux gendarmes, les choses ne se passent pas *du tout* comme prévu. D'abord, les deux hommes ne sont pas ceux qui étaient en poste l'après-midi ; les équipes ont changé. Fatima et Zlatan ont beau jurer que leur groupe a téléphoné dans la journée, les gendarmes n'en croient pas un mot.

– C'est pas possible, on vous dit. Chaque appel est consigné.

Et de leur montrer le cahier d'appel sur lequel ne figure aucune trace du leur.

– Et notre deuxième appel, celui d'il y a une heure ?! demande Fatima.

– On n'a pas eu d'appel. C'est calme, cette nuit.

– Est-ce que vous notez vraiment *tous* les appels ? insiste Fatima. Même très courts ?... Zlatan a eu le temps de dire que deux mots avant que le portable tombe à la mer.

– Quels mots ?

– « *C'est nous !* », hurle presque Zlatan.

– Ah ?! C'est vous, « *C'est nous* » ? J'ai cru que c'était un faux numéro !

– Oui, « *C'est nous* », c'était nous, réaffirme Zlatan. Vous nous croyez, maintenant ?

– Je crois… quoi ? reprend le gendarme.

– Qu'on était prisonniers sur l'îlot Craouch ! assène avec force le garçon…

… juste au moment où un homme (un *géant au regard fou,* racontera Zlatan ; *un grand type à tête de serial-killer,* résumera pour sa part Fatima. En un mot : Francis), fait irruption dans la gendarmerie.

– Tu leur veux quoi, aux gens de l'îlot Craouch ? demande lentement l'intrus en se plantant devant Zlatan.

– Vous êtes un… un habitant de l'île ?! lui retourne Zlatan, pris au dépourvu mais pas intimidé pour autant.

– Pas un habitant. Personne vit là-bas. Mais j'y travaille.

– Vous êtes un des trafiquants d'animaux ?!!!

– Qu'est-ce tu racontes ? On ne doit pas parler de la même île.

– L'îlot Craouch, le blockhaus planqué dans les rochers, la porte en fer et tous les animaux interdits dans des cages !!!

– Quelle imagination ! riposte Francis du ton le plus naturel avant d'éclater d'un rire bref, sec – et *faux*, pense Fatima. Y a que du poisson, sur l'île.

Mais soyons sérieux : tu dis que vous étiez prisonniers. Qui vous retient prisonniers ? Vous êtes combien, d'abord ?

« *Gaffe, il est malin* », se dit Fatima. Et Zlatan qui fonce dans son jeu...

– On est six, plus l'instit'. C'est Braouézec qui est tombé en panne et c'est pas du poisson que...

Coupant le garçon, Francis interpelle les gendarmes :

– Vos collègues vous ont dit qu'on était passés, tout à l'heure ?

– Oui, répond le gendarme au registre. Vous vouliez déposer plainte, mais vous ne l'avez pas fait.

– On a eu une urgence, répond le grand type en dévisageant Fatima. Mais Braouézec nous a raconté la même histoire : qu'il avait accosté avec des gamins et l'instituteur. Sauf qu'il y avait personne sur son bateau. Alors, on a cru qu'il cherchait une excuse, mais maintenant... ça me tracasse, vous comprenez ? Du coup, je suis revenu, pour voir si je pouvais aider.

Se retournant vers Zlatan :

– Tu dis que vous êtes entrés dans notre réserve de poissons ; dans le blockhaus ?

– Oui. On était trempés et… on a frappé avant !

– Et vous avez pris le poisson mort pour des animaux ? Vous n'avez pas allumé, alors ? Ce que tu as pris pour des cages, c'est des casiers à homards, mon gars !

– Menteur ! Y a des serpents, des perroquets ! Des… araignées !

– Attention, le gnome, ma patience a des limites ! tonne l'homme en levant l'index. Écoutez, messieurs, il est clair que les mioches se sont inventé toute une histoire, sans doute à mettre sur le compte de la panique… mais je commence à penser que Braouézec, lui, n'a pas raconté *que* des bêtises…

« *Il sait parfaitement ce qu'il fait,* s'inquiète Fatima. *Si on le laisse faire, ses complices auront fait disparaître toutes les preuves d'ici à ce qu'on arrive sur l'île* ».

Fatima n'écoute plus ce que l'homme raconte. Elle l'a reconnu, à présent : c'est l'Embrouilleur Majuscule, Kaa du *Livre de la Jungle,* Scar du *Roi lion,* Jaffar d'Aladin…

Tiens, Skaar, ce sera son nom. Gaffe : c'est une redoutable langue fourchue. Il faut qu'elle trouve quelque chose pour convaincre les gend…

– Le canot ! On va vous conduire au canot qu'on a laissé sur la plage ! intervient-elle. Le monsieur n'a qu'à nous accompagner ; comme ça, il reconnaîtra son canot. Après, il faudra aller sur l'île. Vous avez un bateau ?…

– Faudrait qu'on réveille le capitaine pour ça.

– Faites-le tout de suite, je vous en prie… S'il leur arrive quelque chose !

– Elle a raison, Messieurs. Allons-y, la soutient l'homme (à la grande surprise de Fatima), posant sur elle son regard de fou. Euh, est-ce que je peux emprunter vos toilettes, d'abord ? demande-t-il de son air le plus naturel.

– Bien sûr, répond le gendarme ; au fond à gauche.

« Ma main au feu qu'il va téléphoner », se dit Fatima. Et, au moment où l'homme la croise, se galvanisant intérieurement au moyen de leur devise : « J'ai peur,

mais… j'avance », la jeune fille se force à fendre son petit visage noir de suif d'un sourire d'une remarquable blancheur.

Assis seul à la table, Monsieur Ganèche parle dans sa barbe, mimant un combat entrecoupé de grands gestes des bras, à l'italienne. Ça a été moins une, quand il y repense. Mais ils ont parfaitement joué le coup. Tho, surtout. Une inventivité inépuisable. Et quel art de la mise en scène ! Alors que tous les autres se laissaient submerger par l'émotion, lui, tranquille, a glissé un : « Monsieur ? »

– Tho.

– Là, ils tapent avec leur barre à mine. Et à force de taper, ils risquent de fendre la trappe. Mais sans barre à mine, ils n'ouvriront pas, d'accord ?

– D'accord, pourquoi ? Tu envisages de leur demander si tu peux l'emprunter ?

– Demander..., a répondu le garçon, est-ce toujours utile ?

Et Tho s'est remis à fixer le panneau que la barre à mine, laborieusement mais inexorablement, était en train de faire voler en éclats. Et alors seulement, Monsieur Ganèche, à son tour, a vu. Il a souri. Au coup suivant, lorsque la pointe de la pesante pièce de métal a frappé de nouveau, s'introduisant dans la pièce, il s'est collé au mur, bras tendus et mains ouvertes, de chaque côté du trou, tout près de la serrure qui résistait encore. Attente.

Quand le choc du métal heurtant le panneau s'est propagé dans tout son corps, il a vite posé les doigts sur la barre qui dépassait de la brèche et tiré de toutes ses forces vers le bas. Quand il a rouvert les yeux, Excalibur était à lui. Il s'est tourné vers les enfants, a redescendu l'escalier et s'est approché du fauteuil de Tho. Monsieur Ganèche a fait pivoter la barre entre ses mains à l'horizontale, s'est agenouillé et lui a tendu la précieuse barre à mine.

– Mes hommages, Sire Lancelot de l'îlot !

C'est ce moment de grâce que Monsieur Ganèche revit désormais, assis à la table, si content de ne pas s'être trompé… Ces gosses ont vraiment bien fait de se rencontrer.

– M'sieur !!

– Maïtiti ?

– Un bruit, à côté. Comme un truc qui tombe.

– Je vais voir.

Monsieur Ganèche se lève ; ouvre la porte qui communique avec…

ILS SONT LÀ !

D'instinct, il referme la porte et se plaque contre elle. Maïtiti a vu, elle aussi. Elle s'est collée dos au mur, les deux mains sur la bouche. Mille pensées traversent les divers cortex de l'instituteur, mais une seule l'intéresse : *ils* sont entrés et pourtant *ils* ne leur sont pas encore tombés dessus !

Conclusion : les enfants ne les intéressent pas. Seulement les animaux… Les preuves !

– Qu'est-ce qu'ils fichent ?

demande Tho.

Pour toute réponse, Maïtiti s'enfuit en serrant son meerkat dans ses bras, se niche contre le montant de la cheminée et perd son regard dans les flammes.

– Ils emmènent les animaux, souffle Monsieur Ganèche.

– On va pas les en empêcher ?! s'insurge Céline.

– Comment ?! Ils sont deux et... armés, peut-être. Ce n'est pas un jeu, les amis, ces gens sont des hors-la-loi.

Il n'a pas le temps d'en dire davantage : des pas se font entendre, de l'autre côté. Tous les yeux fixent la poignée tandis que Tho manœuvre pour plaquer son fauteuil tout contre la porte, en travers. Mais la précaution s'avère inutile car l'homme qui s'est approché, Luis, ne cherche pas à entrer. Sa voix seule pénètre dans la pièce, si puissante qu'elle les fait sursauter :

– Vous bougez pas, vous tentez rien. On tient votre copain ; celui des rochers. Vous restez sans bouger jusqu'à ce qu'on soit partis et il lui arrivera rien ; compris ?...

– Compris, répond Monsieur Ganèche, glacé par ce qu'il vient d'apprendre.

Après trois secondes de silence, les pas s'éloignent. Mais très vite, ils s'arrêtent et la voix reprend :

– Pas mal, le coup de la clé dans la serrure. Mais fallait pas la laisser dans l'axe ; il fallait la tourner pour pas qu'on puisse la repousser. Bougez pas. Pensez à votre copain.

– Ils ont Lucas ! lâche Tho d'une voix qui se meurt davantage à chaque mot.

Monsieur Ganèche se tourne vers lui.

– Bravo de penser si vite à ton camarade, mais je ne suis pas inquiet. Ils veulent récupérer les animaux ; pas avoir des ennuis en s'attaquant à des enfants.

– On fait rien, alors ? chuchote Céline, dont les mâchoires se crispent malgré elle.

– Rien, répète Monsieur Ganèche d'un ton résigné. Ou alors… que diriez-vous d'une petite partie de cartes ? On est quatre, après tout.

- Chapitre 13 -
Rien ne va plus !

Ils jouent. Enfin, « *jouer* »... Disons plutôt qu'ils occupent une partie de leur esprit à autre chose que broyer du noir. Peu à peu, les cris des animaux s'estompent, les bruits se font plus rares et une odeur de pourriture mêlée de produits d'entretien s'infiltre.

Un peu plus tard, il leur semble percevoir le son d'un moteur, dehors. Céline se précipite à la fenêtre.

– Ils s'en vont !

L'instituteur est le dernier à se lever. Les enfants ouvrent la porte de la salle des animaux... et restent figés.

Céline se pince le nez ; une ignoble odeur de poisson pourri et de Javel les saisit à la gorge. À la place des cages, un énorme tas de petits poissons. À côté, un autre tas, nettement plus répugnant et odorant, composé de têtes et de viscères de gros poissons. Plus une seule cage ; plus un seul animal ; pas même un sac de nourriture.

Céline traverse la pièce et sort aussitôt, suivie de Tho qui pousse sur les roues. En revanche, Maïtiti reste dedans et se met à errer comme une âme en peine, mère-oiseau retrouvant son nid vide. Très doucement, l'instituteur lui prend la main et l'entraîne dehors où, à peine sorti, il entend Céline l'appeler depuis le petit port.

– Écoutez ! leur crie Tho.

Monsieur Ganèche tend l'un des pavillons de gramophone qui lui servent d'oreilles.

– Le tac-tac… il se rapproche ?

– Ils reviennent. Ils ont dû oublier un truc.

– On les laisse pas repartir, *cette fois !* grogne Céline, mauvaise.

– Et on récupère les animaux ! ajoute Maïtiti avec, dans la voix, une détermination neuve.

Monsieur Ganèche ne dit rien ; il écoute le tac-tac pétaradant du diesel résonner de plus en plus fort dans la passe. Puis une intense lumière illumine les rochers, faisant fuir les crabes. La proue d'un navire apparaît peu après. À l'avant, un homme en uniforme encadré de deux enfants : Fatima – et Zlatan (dont la tête dépasse à peine) !!

Dès qu'ils s'aperçoivent, les enfants se mettent à hurler :

– **Ola, les Tricéphales !**

Céline se retourne vers Monsieur Ganèche.

– Vite ! Demandez-leur de poursuivre le bateau. Ils sont pas loin, on peut les avoir !

Le navire s'immobilise. Un marin saute sur le quai et l'amarre. Avant… arrière. Il tend la main aux enfants pour les aider à sauter à terre. Retrouvailles. Embrassades. Joie et soulagement, surtout.

– Et Lucas ?! Il est où ?! lâche Fatima en jetant des regards partout.

– Lucas !!! Nom d'un rat sans pattes ! Vous êtes arrivés si vite qu'on n'a pas eu le temps de s'en occuper. Il… *(Et voilà l'instituteur qui réalise ce que l'absence de Lucas signifie : que les deux hommes lui ont menti et que le garçon se trouve toujours là-haut… ou bien, au contraire, qu'ils l'ont… emmené ?!)* Suivez-moi ! se contente-t-il d'ajouter, filant vers l'entrée du repaire.

D'un pas rapide, le gendarme galonné se glisse alors à son côté et lui tend la main sans s'arrêter de marcher :

– Capitaine Morleux, bonsoir. Je vous accompagne. Vous êtes l'instituteur ?

– Pierre Ganechovski, se présente à son tour Monsieur Ganèche. Je suis l'instituteur. Et les malfaiteurs, ils… Ah, c'est incroyable : vous venez de les rater ! Vous vous êtes croisés à moins de cinq minutes !

– 3 minutes et 27 secondes, précise Céline dans son dos.

– Ils ont embarqué tous les animaux, les cages, la nourriture, tout. Est-ce que vous ne pouvez pas repartir pour essayer de les rattraper ?

– Monsieur ! réplique le gendarme, je suis venu récupérer des enfants et les ramener à terre. Pas poursuivre qui que ce soit ! Aucune plainte n'a été déposée, ni aucune loi enfreinte jusqu'à plus ample informé. Vous allez tout me raconter ; mais allons d'abord secourir ce dernier élève. Vous semblez avoir une légère tendance à éparpiller les enfants qui vous sont confiés… voire à leur faire prendre certains risques.

– C'est nous qui avons décidé du plan ! intervient Tho, poussé dans son fauteuil par Zlatan, à toute allure.

Parvenus à la porte métallique, ils entendent le ronflement d'un groupe électrogène. C'est l'instant que choisit Francis, alias Skaar, pour sortir de l'ombre et s'avancer vers eux, s'essuyant les mains sur un chiffon.

– J'ai branché le groupe en attendant de trouver la panne ; apparemment, le tableau électrique a des sautes d'humeur. Vous avez le dernier gosse ?... Non ? Vous le ramassez et vous déguerpissez. Violation de domicile, ça vous dit quelque chose ?!

Monsieur Ganèche le fixe sans répondre. Puis, tremblant de rage, il tend le bras en direction du tas de poissons – impossible à ignorer en raison de son délicat fumet – en le désignant au gendarme.

– C'est là qu'étaient entassés les animaux. Une trentaine au total, dans des cages. Deux hommes sont venus juste avant et ont déversé du poisson à la place, pour masquer l'odeur.

– Dites donc ! C'est quoi ces insinuations ?!! tonne Skaar. C'est les appâts pour amorcer les casiers. Ils sont là depuis hier !!

– Quels casiers ? le reprend Monsieur Ganèche, dont les oreilles se mettent à frissonner. Je n'en vois aucun.

Il promène un regard inquisiteur dans toute la pièce, ressort et disparaît un instant avant de reparaître :

– Je n'ai trouvé que… ça !

Au bout de son bras, une cage à oiseaux rouillée. Les mâchoires de Skaar se crispent imperceptiblement, mais l'homme retrouve très vite ses esprits :

– C'est la cage de Kiki, mon perroquet. S'est enfui le mois dernier, l'animal !

Tout se passe ensuite dans le regard bourré d'éclairs qu'échangent Monsieur Ganèche et Skaar. Si le grand costaud a vraiment une tête de méchant comme on n'en voit que dans les séries Z, l'instituteur, plus grand encore, clignote de partout : nez, oreilles, yeux exorbités. Après plusieurs secondes d'une attente pesante, le gendarme brise le silence :

– Et cet élève qui manque ?

Monsieur Ganèche tend le bras en direction de la porte, fixant toujours Skaar. Lequel passe devant, fait trois pas, pose son regard sur le feu de cheminée, les restes du repas puis l'évier.

– On a pris ses aises, à ce que je vois.

– Pas eu le temps de faire la vaisselle, désolé ! lâche Monsieur Ganèche. On vous remboursera les conserves et la farine.

– Les pulls et les pantalons, aussi ? ironise Skaar en désignant Céline et Fatima (dont le look post-apocalyptique très « Matrix » avait jusque-là échappé aux gendarmes).

Skaar traverse la pièce et grimpe l'escalier en trois pas, ses yeux ne s'attardant ni sur la barre à mine posée contre le mur ni sur les copeaux de bois qui tapissent le sol. Mais l'officier, lui, émet un sifflement expressif.

– Vous avez soutenu un siège, ici, ou je me trompe ?

– Exactement, répond l'instituteur. Et voici l'arme que nous avons soustraite à l'ennemi, complète-t-il en désignant la barre d'acier. Vous imaginez bien que nous n'allions pas ouvrir tout gentiment à d'honnêtes pêcheurs venus nous délivrer ! Des pêcheurs qui rapportent de leurs virées des prises… étonnantes.

– Qu'est-ce que vous voulez dire ? interroge l'officier.

– Maïtiti ! Montre-la, s'il te plaît. Il ne lui sera fait aucun mal. *Je te donne ma parole.*

Passant une main sous le hamac improvisé tout en écartant de l'autre le tissu, Maïtiti fait lentement émerger un museau moustachu et deux grands yeux bruns redoutablement attendrissants.

– Qu'est-ce que c'est ?! s'exclame le gendarme en s'approchant. Une belette ?...

– *Suricata suricatta*, la mangouste du Kalahari, le renseigne Monsieur Ganèche. Pas souvent en villégiature sur la côte bretonne. Monsieur Braouézec vous confirmera qu'elle n'est pas arrivée ici avec nous. Au fait, le brave homme va bien ?

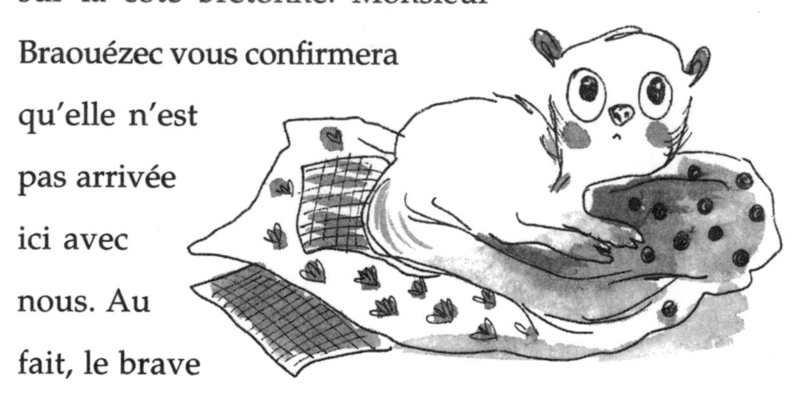

– Disparu, se contente de répondre l'officier, dont toute l'attention s'est reportée sur Skaar.

– Jamais vu cette bête, lâche *Skaar le psychopathe* (cela deviendra son surnom chez les Tricéphales) en haussant les épaules.

Monsieur Ganèche se contente d'écarter les bras, consterné.

Les retrouvailles avec Lucas sont des plus joyeuses. Du haut de son Olympe personnel, le grand gars découvre, ravi, la petite troupe qui s'avance à sa rencontre. D'abord Zlatan, courant presque… Ensuite Céline, puis Maïtiti et Fatima côte à côte… et enfin des gendarmes et un… un géant ?! Non, c'est Tho ! Enfin : Tho perché sur les épaules de l'instituteur. Et puis un inconnu à ses trousses.

– **Hé, les Tricéphales !!!** hurle Lucas.

– Ola, l'artiste, renvoie Zlatan parvenu au pied du rocher. On cherche la statue de la liberté, tu l'as pas vue ?!

Lucas se demande un instant ce que son camarade veut dire. Puis il intercepte son regard sur… la lampe ! Qu'il tient **toujours,** en hauteur !! Il abaisse alors le bras en grimaçant et attend que les autres soient tous rangés en bas pour déclarer, les yeux rivés sur l'instituteur :

– J'ai pas lâché, M'sieur ! Les deux brigands, ils m'ont poursuivi, mais j'me suis pas rendu ; j'ai pas lâché !!

– Je t'en félicite, Lucas, bien sûr… mais sache que c'est encore peu de choses pour quelqu'un comme toi. Tu iras LOIN.

Puis, désignant du doigt la paroi rocheuse, l'instituteur poursuit :

– Dis-moi, la dernière partie de l'ascension, je vois bien par où tu es passé, mais les cinq premiers mètres à pic… tu as fait comment ?!

– J'sais pas, j'ai dû voler ! s'exclame Lucas, hilare, se penchant au-dessus d'eux.

– Tu sais à qui tu me fais penser ? lance l'instituteur à Lucas.

– Qui ?!…

– Winston Churchill ! Le premier ministre britannique qui, quand l'Allemagne s'est attaquée à l'Angleterre, a déclaré : « *We'll never surender !* » : « Nous ne nous rendrons **jamais !** ». Et les Britanniques n'ont pas lâché. Comme toi, Mister Lucas Churchill !

– Mhhh, grommelle l'officier qui s'est rapproché de Monsieur Ganèche ; ma situation est délicate, vous le comprendrez.

– Je le comprends.

– Ce gamin affirme avoir été poursuivi, pour quelle raison ?

– N'importe quoi ! râle Skaar, qui ne sait plus s'il doit s'isoler pour téléphoner à sa patronne ou garder tout ce monde à l'œil.

– Lucas était chargé de rester ici avec une lampe pour créer un alignement permettant à ses deux camarades partis en canot de se repérer.

– Astucieux ! admet le gendarme qui, en dépit des dénégations du contremaître de « *la Baronne* » (comme on l'appelle au village) ne sait plus que penser.

Il se trouve que le capitaine Étienne Morleux possède un odorat assez subtil ; et, d'évidence, en bas, cela ne sentait pas *que* le poisson. Et puis, il y a cette mangouste et aussi, surtout, le fait qu'un instituteur et des enfants se soient retrouvés en guerre avec de simples « marins pêcheurs ». Et, au fait : depuis quand la baronne Mutantis exerce-t-elle une activité de pêche ? Première nouvelle ! Il faudra vérifier tout ça. En attendant, il ne peut rien faire.

– Vous avez peut-être deux ou trois notions de droit, Monsieur Ganèchovski, amorce-t-il prudemment, les cinq enfants ouvrant toutes grandes leurs oreilles.

– Deux ou trois, sans plus, répond Monsieur Ganèche.

– Ayant, de fait, « violé le domicile » de ces personnes, d'un point de vue **légal** vous n'y avez jamais été présents. Rien de ce que vous avez pu voir et entendre n'existe donc aux yeux de la loi…

– Quoi ?!! s'exclame aussitôt Zlatan.

Le gendarme lui jette un regard affligé.

– C'est la loi. Même nous, si nous pénétrons dans un domicile sans mandat et trouvons l'arme du crime, autant la jeter à la poubelle ! Pas d'animaux enfermés, donc. Rien de tout cela n'existe aux yeux de la loi.

Avant qu'il ait fini sa phrase, Zlatan, bouillonnant, s'est échappé en quatrième vitesse en direction du repaire.

– Je ne peux donc pas déposer plainte ? s'enquiert Monsieur Ganèche.

– Légalement, vous ne pouvez rien faire. Puis, se tournant vers le gendarme qui l'accompagne : Nion, allez me chercher un cordage au bateau, s'il vous plaît. Il faut qu'on fasse descendre ce garçon de son perchoir !

Les trois adultes restants demeurent un moment sans rien dire, puis l'on voit reparaître Zlatan, haletant, une main derrière le dos.

– Joli score… 1 minute 18 secondes ! le charrie Céline.

– Pas mal, non ? lui renvoie Zlatan, tout sourires…

… avant de se tourner vers Skaar et de tendre quelque chose sous son nez.

– Et cette araignée de jardin nourrie à l'uranium, vous l'avez jamais vue non plus ?!

Dès que le gendarme, déplaçant sa torche, éclaire la main de Zlatan, tous peuvent contempler une superbe mygale dans une cage à peine assez large pour la contenir. Et le gendarme de se tourner vers Skaar, demeuré silencieux.

– Jamais vu cette araignée. Elle est grosse, dis donc…

– Elle est pas à vous, p'têtre ?! répète Zlatan en la soulevant dans la direction de l'homme.

– Je te dis qu'non ! Je l'ai jamais vue. T'es sourd ?

– Je la garde, alors ! s'exclame Zlatan, ravi de cette acquisition opérée en toute *légalité*, et en présence d'un gendarme, en plus !

Et il tend la boîte à l'instituteur, lequel, sans réfléchir davantage, s'en saisit. Toujours bouillonnant, Zlatan va alors se planter face à Skaar.

– Tu l'as jamais vu, hein ?! Bâtard ! Tu mens comme tu respires ! T'as d'la chance qu'y a les keufs… Je t'aurais ruiné la tête, sinon !

– **ZLATAN !!!** hurle Monsieur Ganèche dès qu'il réalise ce qui se passe.

À sa grande surprise, Zlatan masque aussitôt sa bouche d'une main.

– Pardon, M'sieur, j'avais oublié.

Tous pensent qu'il va s'en tenir là… jusqu'à ce qu'il explose en désignant Skaar :

– Pus jaunâtre vomi par une limace dégénérée !! Cafard drogué au jus de poubelles !! Raclure d'ongle grattée sous le gros orteil d'un gorille lépreux !! Vide-ordures monté à l'envers !!!

Difficile pour Monsieur Ganèche de le féliciter publiquement ; mais il lui adresse un discret signe de tête et, au moment de lui rendre la cage contenant *son* araignée, chuchote discrètement :

– Beaucoup aimé le *vide-ordures monté à l'envers* ; je ne crois pas qu'on ait fait mieux aujourd'hui.

- Chapitre 14 -
Contre vents et marées

À son retour, le gendarme Nion tend le rouleau de corde à son supérieur.

– Je grimpe pour rejoindre le garçon et assurer sa descente, puis on rentre, monsieur Ganechovski. Un minibus vous attend à la gendarmerie.

Dès que le gendarme a entrepris l'escalade de la paroi, Céline tire la manche de son instituteur, revenant à la charge.

– Alors c'est tout ? C'est fini !? Ils vont continuer leur trafic !

– Pas ici, répond Monsieur Ganèche. Écoutez : on va en parler aux associations de défense des animaux. Si ces gens se sentent surveillés, ils arrêteront forcément leur trafic.

– Vous dites ça pour nous consoler, murmure Céline plus abattue que furieuse.

– Du tout. Vous connaissez le proverbe : « *Tout est bien qui finit bien* » ? Il est tiré d'un vieil adage indien, qui dit : « *Tout est bien qui finit bien. Et* – **Et !...** – insiste l'instituteur : *... si ce n'est pas* vraiment *bien, c'est que* ***ce n'est pas encore la fin !*** ». C'est la fin pour nous, mais d'autres vont finir notre travail. Tous les progrès s'accomplissent par ét – **aaïïe !** mes cheveux ! Qu'est-ce qui t'arrive, Tho ?

– Désolé, Monsieur ; c'est l'excitation. J'ai une idée !

– Re-**aaïïe !** La dernière fois que tu as eu une idée, je me suis retrouvé avec deux élèves en pleine mer et un troisième sur un rocher d'où les gendarmes ne l'ont pas encore fait descendre.

– Faites-moi confiance, Monsieur. **Ola, les Tricéphales !** Par ici ! s'écrie Tho.

– Quoi encore ? demande Zlatan (qui trouve quand même qu'on a passé très peu de temps à commenter ses exploits).

Dès qu'ils se sont éloignés de Skaar, Tho explique.

– « *Si ce n'est pas vraiment bien, c'est que ce n'est pas encore la fin* » avez-vous dit. Alors, il nous reste une chance, un truc à essayer ! Comme l'a dit Monsieur Ganèche, c'est à « *d'autres* » de prendre la relève.

– Quels autres ?

– Les garde-côtes, Monsieur.

– Et comment veux-tu les joindre, à cette heure ?! Les convaincre ??

– C'est mon affaire. J'ai juste besoin de l'ordi. Et d'un peu de temps. Vous m'emmenez là-bas, puis Céline et Zlatan me rejoignent discrétos…

À quelques mètres de là, Skaar ne manque aucun de leurs faits et gestes… et lorsqu'il voit la haute silhouette de l'instituteur partir en direction du bunker avec trois

des gosses, il s'agite comme un serpent pris de tachycardie :

– Où ils croient aller, ceux-là ?! jappe-t-il.

– Monsieur Ganèche emmène Tho à son fauteuil, répond Céline en s'approchant du rocher qu'escalade le gendarme. Lucas ! Tu fais *super gaffe* en descendant, d'accord ? Tu prends *tout-ton-temps*, OK ?

– Euhh... OK... OK...

* * *

– Vous connaissez la loi des six degrés de séparation ? lance Tho, dès que Céline et Zlatan l'ont rejoint devant l'ordinateur.

– C'est dans quel jeu ? interroge Zlatan.

– Un jeu qui s'appelle la vie, répond Tho. Cette loi signifie que n'importe quel être humain n'est jamais séparé d'un autre être humain par plus de 5 personnes. Toi, Zlatan, qu'on prenne Bill Gates ou un Indien d'Amazonie, tu connais quelqu'un qui connaît quelqu'un qui connaît quelqu'un qui connaît Bill Gates ou cet Indien. Et il n'y a *jamais* plus de 6 maillons humains en tout à la chaîne. Et encore, ça, c'était *avant* Internet !

– T'es sur Facebook, là... Tu demandes qu'on te mette en contact avec les gardes côtes, c'est ça ? s'enquiert Céline.

– Exact. Je cherche un boss des douanes. Et vu qu'on a 12 ans, je demande à tous mes contacts s'ils ont un père, une tante ou ce que tu veux dans les douanes.

– T'as vu trop de films ! lui renvoie Zlatan. Mon père, il bosserait aux douanes, jamais je l'avouerais ! Ça craint.

– Tu es un cas particulier, Zlatan.

– C'est toi, le cas particulier ! réplique le garçon avant de filer jusqu'à l'escalier faire sa ronde.

– Tu crois vraiment que ça peut fonctionner ? reprend Céline.

– Ça fonctionne à tous les coups ! Le temps, c'est ça le problème.

– OK, monsieur le génie.

– Hé ! J'ai jamais dit que… Tu trouves que je la ramène trop, c'est ça ?

– Chacun sa vie. Je juge pas.

– Non… Vas y, dis ce que tu penses ! Enfin, s'il te plaît.

– Si t'as plein d'amis, tout va bien ; j'ai rien dit. Mais si tu te sens un peu seul, c'est – *peut-être !* – que t'as tendance à écraser les autres. Tu fais pas le show comme Zlatan, mais vu que tu connais souvent les réponses, tu parles plus et ça finit par être lourd, quoi.

– Hé ben, je… Merci du conseil. T'as raison, en plus : des amis, j'en ai pas des masses.

– C'est ballot, parce que t'as plutôt que des qualités, sinon. Et t'es mignon, en plus.

– Sérieux ?!

– Faut pas que ça te perturbe ! Moi, je lave la vaisselle pour nous donner un alibi, OK ? Toi, tu cherches…

* * *

Le moins qu'on puisse dire est que Lucas prend son temps pour descendre ; mais il a beau suivre des trajectoires en biais, comme un crabe, la paroi rocheuse ne compte jamais que cinq mètres…

* * *

– Viens voir !

Céline s'approche, torchon et verre à la main.

– Tellement crades, leurs torchons ! Kiya ?…

– Lis ! Ça vient d'une amie de ma cousine.

« L'unité d'intervention mobile des douanes de Brest, ça t'irait ? ».

– Brest, c'est en Bretagne, non ?…

– Si c'est pas du pipeau, c'est carrément géant.

– Alors ?! s'écrie Zlatan en ressurgissant de l'escalier.

– On est sur une piste. Et là-haut ?…

– Ben justement : ils rappliquent.

– Mince ! s'énerve Tho, il nous faut encore au moins dix bonnes minutes !

– Seront là avant. Dans deux ou trois minutes max. Comment on va faire ?

– Avance-toi, lui lance Céline. Bougez pas, je ferme le rideau derrière vous. Éteins la louze, Zlatan… Ouais, ça ira ! Si vous la bouclez, ils verront rien. Vous avez le contact ?…

– Oui, la copine m'a donné un numéro, répond Tho. On fait quoi ?

– Appelle-les. C'est pas les gendarmes qui vont le faire pour nous !

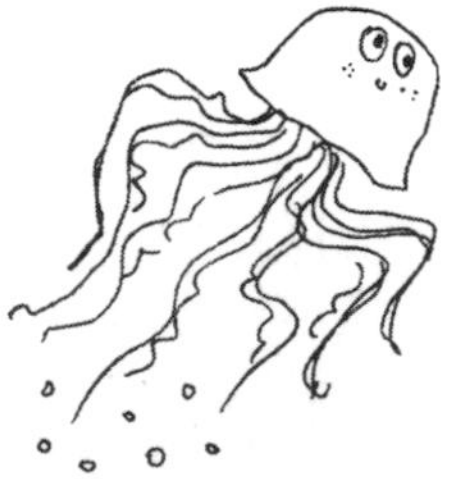

– Chhhuutt ! Les voilà.

Ce sont les jambes de Skaar qui entrent en premier dans le champ de vision de Céline. L'homme demeure une minute indécis, à l'observer, puis son regard fait le tour de la pièce, glisse sur les chaises où sèchent des vêtements et se tourne vers le petit coul…

– Euuuh, M'sieur ?!!!

Le rideau a bougé, elle en est certaine. Mais l'a-t-il remarqué ?

– Quoi encore ?

– Nos vêtements sont pas secs ; c'est pour ça que je les ai laissés et…

– Ramasse-les et gardez ceux que vous avez ! Vous les rendrez plus tard. Ils sont où, les deux autres ?…

– Ils ont dû sortir.

Lucas choisit ce moment pour faire son apparition, détournant à son tour l'attention de Skaar. Suivi de Fatima et Maïtiti, auxquelles il n'en finit pas de conter ses exploits – *rien lâché !*

– LUCAS !!! s'écrie très fort Céline en écartant les bras comme une hôtesse de maison. On a eu tellement peur pour toi… Viens ici que je t'embrasse !

D'abord incertain, Lucas finit par approcher. Dès qu'il est à sa portée, Céline l'attrape par les épaules et le colle contre elle.

– Emmène tout le monde dehors. Et retiens-les. Allez !

Tel un robot, Lucas s'écarte d'elle et se dirige vers la pièce aux poissons. Un regard de contrôle en direction de Céline lui fait comprendre qu'il a intérêt à trouver une idée, et en vitesse.

– Ça-a-looors ! s'exclame-t-il avec un manque de naturel décourageant. Fatima ! Maïtiti, venez-voir-un-peu-par-ici !

Et il disparaît. Intriguée, Fatima se tourne vers Céline qui ne peut s'empêcher de jeter un œil sur le rideau… Non !!! On voit carrément le talon de Zlatan dépasser ! Enfin, *elle*, elle le voit.

S'emparant dare-dare de la main de Maïtiti, Fatima l'entraîne à sa suite.

« *Et de trois !* » compte Céline. Marche après marche, c'est au tour des jambes de Monsieur Ganèche d'apparaître – il est en pleine discussion avec le gendarme :

– Non pas « éduquer » les enfants, déclare Monsieur Ganèche au moment où son inénarrable tête surgit, on doit essayer de les *élever*.

– Quelle différence ? s'enquiert le gendarme.

– Le sens : vers le haut ! répond l'instituteur.

Skaar ne sait plus où donner de la tête… Il craque :

– Bon, gamine, tu prends tout et dehors ! braille-t-il sèchement à Céline.

Il est clair que le « Venez-voir-un-peu-par-ici ! » jeté par Lucas depuis *la* pièce ne cesse de l'inquiéter. D'ailleurs, après un temps d'hésitation, il file rejoindre les trois enfants.

« *Et de quatre !!* » triomphe Céline.

Avant que l'officier ne soit à son niveau, Céline fait signe à Monsieur Ganèche et lui désigne la porte de sortie. Puis elle lui plante le paquet de vêtements dans les mains.

– Je fais un… dernier tour, pour vérifier qu'on n'a rien oublié, explique-t-elle en articulant chaque mot. Je vous **rejoins**.

Monsieur Ganèche, docile, s'engage dans la pièce voisine, suivi par le gendarme. Enfin, les deux autres agents – le gendarme à la corde et son collègue – traversent à leur tour la pièce, et Céline manque éclater de rire en découvrant pourquoi le second paraît si agité : c'est lui qui porte la petite cage contenant l'araignée de Zlatan !

« Et voilà : ouf ! »

Elle file dans le cagibi.

– Ils sont tous dehors. Je ferme à clé ?!...

– T'es folle !

– Grouille, alors !

Tho est tétanisé. Il n'avait jamais envisagé d'être celui qui appellerait...

– Qu'est-ce t'attends ? aboie Zlatan, impatient.

– Pfffouuu, j'ai les jetons. Voilà !

– De quoi ?

– De pas arriver à les convaincre ! Tu veux pas appeler ?

– Moi, on me croit jamais. Céline ?...

– Moi, je m'occupe des autres. C'est ton tour, Tho ! Appelle !

Tho clique. L'ordinateur égraine une petite volée de notes. Silence. Une sonnerie, deux…

– Colonel Mayotte, j'écoute.

– Monsieur… Je… Mon colonel, balbutie Tho. Je m'appelle Tho… Thomas Zingler. Il faut intervenir. Il y a des trafiquants d'animaux exotiques qui s'enfuient en bateau. On est sur l'îlot Craouch, près de Larmoric.

– Très bien. Utilisez la procédure d'intervention : appelez mon cabinet.

– Monsieur ! C'est une urgence. Les trafiquants nous surveillent !

– Quel âge as-tu, mon garçon ? Qui t'a donné mon numéro ?

– Euhhh… une personne qui m'a fait confiance. On a besoin de vous, Monsieur le Colonel.

– Je le répète : le plus efficace est d'utiliser la procédure mise en place pour ce genre d'alertes. Nos hommes vont déterminer le degré d'urgence et les moyens requis pour intervenir. Bon courage !

– Monsie… !

Tut… Tut… Tut…

– Il t'a même pas laissé parler ! fulmine Céline. On fait quoi ? On appelle son bureau ?

– Je n'ai pas le numéro… Et puis, ce serait trop long !

– Je vais voir où ils en sont. Zlatan, viens avec moi. Grouille !

– « *Grouille* », « *grouille* »… t'as qu'ce mot à la bouche… Avare de mots ! Affameuse de vocabulaire !

Non sans râler, Zlatan finit par suivre Céline…

… qui constate qu'il était plus que temps : Skaar s'avance dans leur direction, suivi par un Monsieur Ganèche qui agite la tête d'un air de dire « *J'ai fait ce que j'ai pu…* »

– ON ARRIVE ! s'écrie Céline. Tho a un petit problème aux toilettes avec son fauteuil – mais il ne veut voir personne, s'empresse-t-elle d'ajouter. Il gère…

C'est à cet instant-là qu'elle a la révélation : une image dans son cerveau, comme entourée d'un coup de stabilo jaune fluo ! Face à elle, elle a cette vision de Maïtiti qui serre son hamac contre elle tandis que, de chaque côté, sa toute nouvelle « garde rapprochée » veille : deux gendarmes attendris par l'irrésistible fillette… Céline fonce sur elle et l'entraîne vers le repaire, au prétexte d'un pull oublié.

– Maïtiti. Il faut qu'on réessaie, et cette fois c'est toi qui dois appeler. Je le sais.

– J'ai trop peur…

– Pense à notre devise, l'encourage Tho : « *J'ai peur, mais…* ***j'avance !*** ». Lucas non plus, il ne pensait pas y arriver. Et t'as vu ?

– Ooohhh nooon.

– Compose le numéro, Tho.

« Comment on va se faire jeter ! », songe le garçon en appuyant sur la touche fatidique.

De fait, c'est la cata dès les premières secondes : une fois un misérable « Allô » bafouillé, Maïtiti mange tous ses mots et, très vite, comme elle le craignait, elle se met à pleurer, entrecoupant ses sanglots de paroles chaotiques qui jaillissent ici et là. C'est pitoyable ; lamentable…

… et pourtant… *pourtant* : à l'autre bout du fil, l'homme ne raccroche pas ! La voix du colonel Mayotte s'est même adoucie ; il n'ordonne plus de sa voix de machette, semble plutôt essayer d'obtenir les deux ou trois informations qui l'intéressent…

– *Respirez, Mademoiselle. Ces animaux : quel genre d'animaux ?…*

– Le meerkat va mieux… mais les autres !! Ils ont embarqué toutes les caisses *(sanglots)*… Ils ont une livraison chaque mois… Les gendarmes ne peuvent pas intervenir *(sanglots)*… Ils vont jeter les caisses à la mer… Il y en a qui sont blessés… Si vous aviez vu

comme ils avaient peur... *(sanglots)*... Il faut faire quelque chose. Est-ce qu'on ne peut pas *(sanglots)*... faire quelque chose ?...

Au début, Tho a dû se retenir de ne pas intervenir ; mais il a résisté, et son irritation s'est peu à peu évaporée. Au lieu de quoi, il s'est vu obligé de déglutir ; la gorge serrée et le cœur battant. Rien que d'entendre Maïtiti parler. Ce ne sont pas les mots... C'est plutôt comme une sorte de musique, ce genre de blues qui vous prend immédiatement aux tripes... Une tristesse, oui, mais, comment dire ? Belle et profonde, une tristesse qu'on a tous en nous, qui *est* nous ! Et qui raconte si bien – trop bien – ce qu'on ressent...

Tho lève son visage vers Céline ; comme lui, la jeune fille est bouleversée par « l'effet Maïtiti ». Un coup de génie, il doit le reconnaître.

– *Les gendarmes sont toujours avec vous, Mademoiselle ?* réplique enfin le colonel Mayotte.

– Le capitaine Morleux... Il est très gentil. Il parle avec notre instituteur. On doit partir.

– Pourriez-vous aller le chercher, je vous prie ?

Avant même que Maïtiti ait bougé, Céline pivote sur sa chaise et tombe nez à nez avec Skaar.

– QU'EST-CE VOUS FOUTEZ LÀ ?!! VOUS VOUS CROYEZ CHEZ VOUS ?!!

– *Bonsoir, Monsieur,* s'élève alors une voix surgie de l'ordinateur. *Désolé pour le dérangement. Colonel Mayotte, commandant de l'Unité d'Intervention Mobile de Brest. Le capitaine Morleux est-il là ? Capitaine, vous m'entendez ?*

– 5 sur 5, mon colonel, bonsoir.

– *Bonsoir, Capitaine ; auriez-vous l'amabilité de me résumer la situation ?*

Et le capitaine s'exécute. Quand il a fini, le colonel reste silencieux un moment, et puis…

– *Coïncidence amusante, j'ai un – disons – un exercice d'alerte prévu dans les parages. Un incroyable hasard. Selon vous, à quelle heure ce bateau est-il parti avec son… chargement, les enfants ?*

– 23 heures 37 ! hurle Céline.

– Voilà qui est précis. Attendez, je contacte mon équipe. Béraud, vous me recevez ? Qui est de garde, ce soir ?

– Mais enfin, c'est n'importe quoi ?!! s'enflamme Skaar qui sent la situation lui échapper. Y a que du poisson, ici ! Vous allez dépenser des mille pour rien !

– Ne vous inquiétez pas pour les dépenses publiques, Monsieur. Comme mentionné, l'exercice était de toute façon inscrit à l'agenda. Je… Ah, j'ai Béraud en ligne. Ne quittez pas. Oui, l'opération Frelon, Béraud. Très bien. À vous de jouer ; over. Allô, l'îlot Craouch ? Restez en ligne. Il va leur falloir une dizaine de minutes pour se mettre en route.

– QUI ÇA ?! hurle Skaar, proche de l'affolement.

– L'équipe héliportée, Monsieur. Béraud, lancez le calcul de position. Ils seraient partis à 23 heures…

– … 37 !! complète Céline.

Tous s'agglutinent au plus près de l'étroit cagibi. D'excellente humeur, le colonel Mayotte leur explique qu'ils vont mener les recherches sur un arc de cercle calculé à partir du lieu et de l'heure du départ, combinant le tout à la vitesse supposée du bateau.

Skaar fait les cent pas devant la cheminée, anxieux.

Et ça dure.

Ça dure.

Comme le temps paraît long ! L'équipe de la douane finit par décoller et, très vite, fait savoir qu'elle a repéré un bateau… sauf que celui-ci, survolé de plus près, s'avère ne pas être le bon. L'attente de nouveau, durant 4, 5… 10 minutes… Finalement, le colonel Mayotte reprend la parole :

– *On a ratissé les trois quarts de la zone. En vain. Reste la pointe Sud. Notre dernière chance…*

Ses mots sont suivis d'un silence pesant. Tho a fermé les yeux ; les mâchoires de Céline se contractent toutes seules et le hamac calé sur le ventre de Maititi s'agite doucement : une tête pointue en émerge.

– *Une cible !* clame le colonel. *Attendez : je suis fatigué de jouer les commentateurs. Béraud, ouvrez le canal 7…*

À partir de ce moment, comme dans les films, ils entendent les conversations échangées entre l'hélicoptère et la base.

« Essaim, ici Frelon, je confirme : bâtiment de pêche en visuel. Activité sur le pont. Des hommes retirent des bâches… »

– Yes !! s'enflamme Zlatan, c'est eux !!!

– Chuuuttt !! lui retournent tous les autres.

« Rectification, essaim : les hommes remettent les bâches sur… des caisses… ou des casiers. Ils nous ont vus. Attendons vos ordres, Essaim ».

Tous se taisent. Les crispations de mâchoire de Céline se sont accélérées, constate Monsieur Ganèche qui a bien du mal, quant à lui, à tenir ses oreilles tranquilles.

– Frelon, ici Essaim. Vous avez parlé de casiers de pêche ? Vous confirmez ?

« Négatif, Essaim : cages ou casiers, impossible de préciser… L'activité s'est interrompue. Ils nous regardent. Trois hommes à bord, a priori. »

À la surprise générale, ils entendent alors le colonel ordonner, sans une hésitation :

– *Allez-y, Frelon : piquez ! piquez !*

Dans l'alcôve et le couloir attenant, le silence a encore gagné en qualité…

… pour être brisé au bout de quelques secondes par des ordres diffusés via un haut-parleur :

« VOUS FAITES L'OBJET D'UN CONTRÔLE DOUANIER. VEUILLEZ STOPPER LES MACHINES ! »

Toute l'assemblée se regarde, se demandant ce qui peut se passer.

« JE RÉPÈTE : STOPPEZ LES MACHINES ET NE TOUCHEZ PLUS À LA CARGAISON… UN CONTRÔLE VA ÊTRE EFFECTUÉ, VEUILLEZ JETER UNE ÉCHELLE À L'EAU ! PARÉS À SAUTER, GRENOUILLES ?… »

Et cela dure, dure… bien plus de temps qu'il n'en faut pour mettre en place une échelle le long d'une coque, non ?…

– « GRENOUILLES À L'EAU… NAGE D'APPROCHE… GRENOUILLE 1 À L'ÉCHELLE… GRENOUILLE 1 À BORD… GRENOUILLE 2 À L'ECHELLE… GRENOUILLE 2 À BORD… EN APPROCHE CARGAISON, ESSAIM… GRENOUILLES SOULÈVENT BÂCHE… CE SONT… CE SONT BIEN DES CAGES… RÉPÉTEZ, GRENOUILLE !… DES CAGES AVEC DES ANIMAUX. CARGAISON ILLICITE CONFIRMÉE ! JE RÉPÈTE : CARGAISON ILLICITE CONFIRMÉE. ARRAISONNAGE EN COURS… »

Dans le repaire de l'îlot Craouch, c'est la folie : les enfants hurlent et Monsieur Ganèche barrit d'aise. Même les deux gendarmes, peu habitués à ce genre de suspense, paraissent comblés. « *Les animaux sont sauvés !* » répète en boucle Maïtiti qui murmure des « merci » émus à l'ordinateur.

Puis Zlatan entraîne les autres vers le milieu de la pièce et, sous les yeux ébahis des gendarmes, les élèves se mettent à effectuer une sorte de ronde autour de leur instituteur – une chenille plutôt, en chantant à tue-tête, sur l'air des canards :

– C'est la danse des Tricéphales ! Qui ont vaincu les chacals ! Et sauvé les ani… *mals ! mals mals mals mals…*

Bonus n°3

Question 1 : Comment nomme-t-on le tour effectué autour du soleil par une planète ?

→ Réponse p 23

Question 2 : Comment se nomme le dieu grec à qui était dédié le mardi, jour de naissance de Zlatan ? (pssiiit : c'est le dieu de la guerre)

→ Réponse p 79

Question 3 : Quel est le talent de Fatima, née un lundi, jour de la lune ?

→ Réponse p 78

Question 4 : En grec, son nom est Hermès, mais en latin ?!... C'est le messager des dieux qui, comme internet, relie toute chose et a donné son nom au jour où est né Tho.

→ Réponse p 79

Question 5 : À quel personnage historique Lucas doit-il son surnom ?

→ Réponse p 195

Question 6 : Quel est le nom grec de Saturne qui donne son talent à Céline, née un samedi (saturn-day en anglais) ?

→ Réponse p 81

Question 7 : Dans l'équipe de bras cassé de Monsieur Ganèche, quel est le seul élève à avoir redoublé deux fois ?...

→ Réponse p 12

Question 8 : Combien de personnes maximum nous séparent de n'importe qui sur terre selon la théorie des X degrés de séparation ?

→ Réponse p 204

Question 9 : Quel jour dédiée à la déesse de l'amour est née Maïtiti ? (mais comment s'appelle cette déesse de l'amour, déjà, nom d'un rat sans patte ?!...)

→ Réponse p 80

Question 10 : Qui a découvert sur internet que « *Waaah ! Écoutez ça, les Tricéphales : en Inde, Ganesh est le dieu de la sagesse et de l'éducation ; celui qui lève les obstacles de l'ignorance. Et vous savez quoi ? Il a une tête d'éléphant : une trompe et d'immenses oreilles !!!* »...

→ Réponse... au prochain épisode !

– Madame le préfet, Mesdames et Messieurs les journalistes, Mesdames et Messieurs… C'est un honneur pour moi d'appeler sur scène ceux par qui notre petit village a fait la une de l'actualité… et pour quelle noble cause !

Fier comme un paon, le maire de Larmoric avale sa salive. Il faut dire qu'en plus du Prix ÉcoClasse venant récompenser la classe de mer ayant réalisé la mission la plus utile à la planète, le clocher d'ardoise de son église est passé « aux informations » sur au moins quatre chaînes ! Et lui avec, bien sûr – au point qu'il a même fallu organiser pour les médias un tour de l'îlot Craouch, piloté par... Louis Braouézec en personne. Bref, c'est la gloire.

Dans un coin de l'estrade, Ganèche a pris Zlatan à part pour lui dire deux mots.

– Quand tu dis « *Ma parole* », Zlatan, ce n'est pas simplement une formule... c'est un engagement de toute ta personne. Tu affirmes : « *Vous pouvez me croire parce que je vous donne ma parole d'honneur : je suis un homme de confiance !* »

– J'avais pas tout ça dans la tête, moi. « *Ma parole* », on le dit tout le temps, nous.

– Je sais. Mais désormais, tu vas cesser de prononcer ces fortes paroles à tort et à raison. Ce sera difficile au début, mais tu n'imagines pas ta fierté lorsque tu seras parvenu à te maîtriser. Et tu y parviendras, si tu le décides !

– Faut qu'je décide là, maintenant ?!

– Un homme qui n'a pas de parole est un homme qui ne vaut rien, Zlatan. Et toi, tu vaux beaucoup.

– Bon, OK : je le referai plus, ma par...

Tous deux se regardent et Monsieur Ganèche se contente d'ajouter :

– Tu t'es bien comporté, Zlatan. Même si on ne se revoit plus, tu vas continuer comme ça ; devenir quelqu'un sur qui les autres pourront compter, comme nous avons pu compter sur toi !

Mais Monsieur Ganèche doit s'interrompre, car le maire appelle les héros du jour à le rejoindre. L'instituteur donne une pichenette sur l'épaule de Zlatan, qui file rejoindre ses camarades. Les voyant alors s'avancer un par un, à l'appel de leur nom, au-devant d'une reconnaissance dont il sait combien elle leur est précieuse, il se gonfle d'aise.

– Et voici le dernier, mais non le moindre, de nos grands défenseurs de la nature, annonce le maire en marquant une pause stratégique dans l'attente de nouveaux applaudissements. J'ai cité « l'homme phare », le garçon qui ne lâche jamais : Lucas de Faria, alias... Churchill !!

Lucas s'avance jusqu'au milieu de la scène, souriant et modeste. Zlatan quitte aussitôt les autres et se dirige, bras écartés, vers son camarade, lui sautant finalement au cou et s'offrant un petit rab d'ovation. Ce qui donne une idée au maire.

– Il paraît même que vous avez une danse spéciale, les enfants ?...

Aussitôt dit, aussitôt dansé : Tho ouvre le défilé et Zlatan, qui le clôt, scande les paroles. L'ambiance est si joyeuse qu'il faut à Céline 15,37 secondes exactement pour réaliser qu'il manque quelque chose... ou plutôt, quelqu'un.

Un bon sourire aux lèvres, elle se détache prestement du petit train et file rejoindre Monsieur Ganèche en coulisses. Et elle l'empoigne par la manche, l'entraînant derrière elle.

– Nooon ! proteste Monsieur Ganèche, gêné.

– Je sais, lui répond-elle, souriante : *J'ai peur, **mais !...*** Quoi, vous ne voulez pas ? Ah, mais ça ne

se passera pas comme ça... **Ola, les Tricéphales ! À moi !!**

Et comme elle s'accroupit et passe ses bras derrière la jambe de l'instituteur, les cinq autres percutent, rappliquent et, joignant leurs efforts, parviennent – plus ou moins – à soulever leur instituteur du sol. Pour le porter en triomphe.

10

Directeur de publication : Frédéric Lavabre
Collection dirigée par Tibo Bérard
Maquette : Xavier Vaidis, Claudine Devey

© Éditions Sarbacane, 2016

Tous droits de reproduction, de traduction
et d'adaptation réservés pour tous pays.
Loi n° 49-956 du 16 juillet 1949
sur les publications destinées à la jeunesse.

Achevé d'imprimer en décembre 2015
sur les presses de l'imprimerie Grafica Veneta S.p.A.
N° d'édition : 0015
Dépôt légal : 1er semestre 2016
ISBN : 978-2-84865-835-3

Imprimé en Italie